모든 것의 시작

　6개월 전 나는 너무 힘들었다. 지치고 괴로웠다. 나는 과중한 업무로 이미 녹초가 되어있었다. 나쁜 일들이 마치 기다리기라도 했던 것처럼 줄지어 터졌다. 평생 다니던 회사에서 해고 통보를 받았다. 엎친데 덮친 격으로 어머니가 쓰러지셨다. 도움을 청할 친구도 없었고, 가족들 과의 관계도 불편했다. 온 세상이 나에게 등을 돌린 것 같았다. 슬펐다. 좌절감이 밀려들었다. 인생의 실패를 경험한 것이다. 철저히 혼자였고 외로웠다. 건강에도 이상이 생겨 2달만에 20kg 살이 쪘고, 기침도 멈추질 않았다. 모든 일은 이렇게 시작되었다. 그 당시에는 정말 꿈도 꾸지 못했다. 죽고 싶을 정도로 고통스러운 순간에 엄청난 행운이 나에게 찾아 오리라고는!

　나는 그 순간 "인생의 절대키(The One Key)", "경이로운 절대키", "신의 절대키"를 살짝 보게 되었다. 나에게 그 "키"를 살짝 알려준 것은 애완견 마브로스가 보여준 본능적인 행동이었다. 나는 무엇에 홀리기라도 한 듯이 그렇게 과거로의 여행을 시작하게 되었다. 나를 과거로 데려다 준 교통수단은 책이었다. 그리고 엄청난 사실을 알게 되었다. 내가 과거에서 만난 2,600년 전에 살았던 공자(중국,기원전 551-479), 노자(중국, 기원전 6세기), 붓다(인도,고타마 싯다르타, 기원전 5세기), 마하트마 간디(인도,1869-1948), 소크라테스(그리스, 기원전 470-399), 플라톤(그리스,기원전 428-348), 아리스토텔레스(그리스,기원전 384-322), 토마스 아퀴나스(이탈리아,1225-1274), 르네 데카르트(프랑스,1596-1650), 임마누엘 칸트(독일,1724-1804), 알베르토 아인슈타인(독일출생 미국사망, 1879,1955), 지그문트 프로이드(오스트리아,1856-1939), 마틴 루터 킹 주니어(미국,1929-1968), 장 폴 사르트르(프랑스, 1905-1980)등, 세종대왕(한국, 1397-1450), 이순신(한국, 1545-1598)등 역사상 가장 위대한 위인들이 이 "키" 를 갖고 있었다니!

도무지 믿기지 않았다. 그래서 자문했다. "그럼 이 키는 지금 어디에 있지? 현대인들 중에도 이 키를 갖고 있는 사람들이 있을까?" 나는 "키"를 가지고 있는 현대인들을 찾기 시작했다. 이제는 책뿐만이 아니라, 인터넷을 통해서도 온 세상을 뒤지기 시작했다.

얼마 지나지 않아, 살아있는 한 사람이 나타났다. 나는 확실한 느낌으로 그들을 더 찾을 수 있었다. 현재로의 여행을 시작하자, 지금 살아있는 "키의 대가"이 줄을 지어 나타나기 시작했다. 마치 하나의 고리에 연결이라도 된 듯이, 한 사람을 찾으니 또 다른 사람이 뒤이어 나타났다. 그리고 그 행렬은 끊이질 않았다. 멈추어 있던 내 심장이 요동치기 시작했다. 처음이었다. 이렇게 강력한 생명력이 넘치는 울림은!

나는 이 "기쁜 소식"을 닥치는 대로 알리고 싶어 졌다. 본능이었다. 알리고 싶은 충동을 주체할 수 없었다. 당신은 이렇게 생각할 수 있다. "그렇게 좋은 것이면, 몰래 숨기고 혼자만 알지 왜 알리고 싶어 지지?" 라고 말이다. 그 이유는 진짜를 찾았기 때문이다. 진짜를 찾으면 그렇게 된다. 몰래 숨기고 혼자만 알고 싶은 사람들은 아마도 진짜 진리를 알게 된 경험을 아직 못 했기 때문이다. 2,600년 전 불교의 시작인 싯다르타와 그의 제자들이 그랬다. 그들은 자신들이 알게 된 "진리"를 알리는 여행을 떠났다. 2,000년 전 그리스도교의 시작인 예수와 그의 제자들도 그랬다. 그들은 자신들이 알게 된 "기쁜 소식"을 알리려고 전 세계를 돌아다녔다. 1,400년 전 이슬람교의 시작인 마호메트와 그의 제자들도 마찬가지다. 이렇게 진리를 찾으면, 그 기쁜 소식을 전하려고 노력하는 것이 인간 본성이다. 이런 일은 불과 몇 년 전에도 일어났다. 호주의 론다 번은 "끌어당김의 법칙"을 발견하였다. 그리고 그것을 지금도 전세계에 알리고 있다. 할 수 있는 모든 방법을 총동원해서 말이다. 진짜 진리의 본성이 그런 것이다. 무한히 뻗어 나가고 싶고, 널리 알려져서 모두가 이 진리를 경험하게 하고 싶어 지는 것 말이다. 깊은 내면에서 마르지 않는 샘물이 솟아 나듯이 멈추지 않고, 계속해서 전하고 알리고 싶어 지는 그 충동을 당신도 경험하고 싶지 않은가?

나는 재일 처음 부모님과 가족들에게 이 기쁜 소식을 전했다. 그리고 내 전화 번호부에 저장되어 있는 가장 위에 있는 사람부터 한 명씩 모두에게 이 진리를 알리기 시작했다. 그리고 지금은 인터넷을 통해 온 세상에 알리기 시작했다. 처음엔 블로그로 알리다가 지금은 유투브(YouTube), 인스타그램(Instagram), 쇼츠(Shorts), 페이스북(Facebook), 틱톡(TikTok), 엑스X(Twitter) 등 미디어의 다양한 방식으로 세상에 알리고 있다.

이 메시지가 세상을 휩쓸자 엄청난 소식들이 폭풍처럼 밀려들어왔다. 간암, 위암, 뇌종양, 심한 아토피, 공황장애 등의 질병이 낳았다는 소식들이 들어왔다. 부도의 위기였던 사업이 몇일 되지 않아 다시 살아나고,

원하는 프로젝트를 상상 이상으로 크게 성공시켰다는 소식들이 쏟아졌다. 이별한 연인들이 다시 만나고, 원수가 된 친구와 화해를 하고, 10년 넘게 왕래가 없던 부모님과 다시 기쁨을 나누게 되었다는 소식들은 감동이었다. 자살 시도를 여러 번 했던 사람은 애인과 몇 개월 후에 결혼까지 약속했다고 한다. 뿐만 아니라, 7년째 실종되었던 아들을 찾은 소식, 3년전 치매로 집을 나간 어머니를 찾은 소식들은 내 가슴을 더욱 뜨겁게 했다.

내가 받은 소식들 중 가장 설레이는 것은 노화를 늦추고 생명을 연장시켰다는 소식이었다. 죽을 날만 손꼽던 86세 노인이 "키"를 찾고, 지금은 누구보다 젊고 건강하게 살고 계신다. 또한, 중고등학생들이 "키"를 찾아, 성적이 오르고, 원하는 고등학교, 대학교에 합격하였다는 소식도 있었다. 학생들이 짝사랑하던 친구와 사귀게 되었다는 소식들은 나를 더욱 기쁘게 하였다. 왜냐하면, 남녀노소 누구나 "키"를 찾으면, 그 힘으로 삶을 변화시킬 수 있다 뜻이었기 때문이다. 심지어 7살 유치원 생의 소식까지!

"키"를 찾아 소유한 모두가 자신들의 삶의 주인공이 되었다. 남녀노소, 인종, 국적, 성별에 상관없이 무조

건적으로 모두가 다 원하는 삶을 살 수 있고, 원하는 것들을 소유하며, 원하는 방식의 행복을 누리며 살게 되었다.

이뿐만이 아니었다. "키"의 힘은 인간계를 뛰어넘었다. 숲속에서 곰을 만났는데, "키"를 활용해서 목숨을 구할 수 있었다고 한다. 또한, 1년전 집을 나간 애완견이 돌아왔다는 소식도 들어왔다. 집을 나간 고양이, 강아지 소식은 셀 수 없이 많았다. 시들었던 화초가 살아나고, 죽었던 나무가 되살아 났다는 소식까지 전해졌다. 심지어 날씨에도 "키"가 사용되었다.

학교에서 선생님들은 학생들에게 이 소식을 알리기 시작했다. 필라테스 강사는 회원들에게 알리고, 회사 사장님은 직원들에게 알리고, 강사는 강연장에서 알리고, 가수는 공연 중에 자신이 사랑하는 팬들에게 알리기 시작했다. 사람들은 "키"를 활용해서 인생에 중요한 일들뿐만 아니라, 소소한 일상의 불편함을 해소하는 일에도 "키"를 활용하고 있었다. "키"는 사람뿐만 아니라, 동식물 등 살아있는 모든 자연에 영향을 미치고 있었다. "키"는 조건과 제한이 없는 자연의 섭리이며 법칙이었다.

이 책을 쓰는 나의 의도는 수억만 사람들이 "키" 덕

분에 삶을 더욱 즐겁고 윤택하게 살게 하는 것이다. 나는 오늘도 나의 순수한 의도가 실제로 이루어 지고 있음을 경험하고 있다. 전 세계의 다양한 국적과 나이와 인종의 사람들이 "키"를 찾고 더욱 즐겁고 윤택한 삶을 살고 있다고 고맙다고 한다. 이 "키"로 당신은 원하는 것은 다 할 수 있다. 당신이 무엇을 원하든, 누구와 함께 있고 싶든, 어느 위치에 있고 싶든, "키"가 원하는 것을 갖게 해 줄 것이다.

한가지 짚고 넘어갈 것이 있다. **이 책은 시크릿의 "끌어당김의 법칙"과 다르다. 근본적인 접근 방식에서 차이가 있다.**

"'키'는 단순히 원하는 것을 끌어당기는 것이 아니라, 이미 이루어진 것처럼 느끼며 행동하는 것이다."_앨버트 아인슈타인

"성공은 우리가 무엇을 끌어당기는가에 달려 있지 않다. 우리가 느끼고 행동하는 방식에 달려 있다."_마틴 루터 킹 주니어

"단순한 상상이 아니라, 그 상상 속에서 느껴지는 감정과 그에 따른 행동이 현실을 만든다."_ 헨리 포드

"원키의 대가들"의 가르침을 보아라. 이처럼 "키"는 과학적이고 실증적이며, 실재로 결과를 만들어 내는 행동 방식인 것이다. 추상적이고 뜬구름 잡는 이야기가 아니다. **"키"는 차별화된 집중, 감정의 중요성 그리고 행동 기반형 삶의 법칙인 것이다.** 이것은 당신이 태어나면서부터 가지고 있는 우리의 DNA에 새겨져 있는 것이다. 이것은 자연의 섭리이고 법칙이며 과학적이고 증명가능한 법칙인 것이다. 그래서 누구는 되고, 누구는 안되는, 이미 세상에 차고 넘치도록 많은, 인간이 만들어낸 성공 팔이 공식을 말하는 것이 아니다. 그러니, 이 책을 꼼꼼히 읽고, 당신이 찾아낸 "키"를 활용하는 법을 잘 익혀라. 그러면, 당신이 실재로 잡을 수 있는 결과, 당신이 원하는 결과, 당신이 원하는 방식의 결과를 얻을 수 있을 것이다.

이 책에는 당신이 존경하는 스승들의 가르침이 고스란히 담겨 있다. 그 스승들의 말씀은 모두 일맥상통한다. 이 책에는 그 스승들뿐만 아니라, 지금 이순간 당

신과 같은 하늘아래 살아가는 현대 인물들도 등장한다. 그들은 각계 각층의 성공한 사람들이다. 자신의 분야에서 "키"를 활용해 어느 정도 까지의 결과를 창출해 냈는지 그들의 실재 증언도 담겨 있다. 거기에, 내가 발견한 단순하고 쉬운 방법, 비법들도 모두 담았다. 당신은 그저 떠먹여 주는 음식을 받아먹으면 된다. 모든 것을 당신의 것으로 만들어 당신의 실생활에 적극 활용할 수 있도록 안배해 놨다. 오직 당신 삶에 큰 도움이 되기를 바라는 마음을 표현했다.

이 책은 당신만을 위해 쓴 책이다. 이 책은 당신의 것이다. 그래서, 책 곳곳에 내가 당신의 인생친구로서 특별한 선물을 주는 내 진심을 표현했다. 마치 당신 귀에 대고 은밀한 귓속말을 하듯이 말이다.

"너 한테만 특별히 하는 말이야. 알았지? 그러니까 비밀 지켜줘. 지금부터 집중하고 경청해."_Key Master|키마스터|

자, 이제, 당신의 여행을 시작하자. 책장을 넘기고 "키"를 찾자. 찾아서 활용법을 익히자. 그러면 당신은 깨달으리라. 당신이 원하는 것은 무엇이든 갖고, 어디든지 가고, 어떤 것이든 할 수 있다는 것을! 당신 자신이 누구인지를! 당신인생은 당신에게 주어진 최고의 선물이라는 사실을!

Key Master
|키마스터|

Links

The ONEKEY Linktree
linktr.ee/theONEKEY

The ONEKEY NAVER
blog.naver.com/theonekey_keymaster

The ONEKEY Instagram
instagram.com/keymasteronekey

The ONEKEY facebook
facebook.com/profile.php?id=61561871824728

The ONEKEY TikTok
tiktok.com/@theonekeymaster

The ONEKEY X
x.com/TheONEKEY

The ONEKEY LinkedIn
linkedin.com/in/key-master-a75830319

Channel details

keymaster.mavros@gmail.com

www.youtube.com/@TheONEKEY원키TV

"원키"를 찾다

"비전을 '원키'로 열 때, 무엇이 가능한지 재정의할 수 있습니다." 스티브 잡스 (미국) Apple Inc.의 공동 창업자

"임무에 대한 '원키'가 있으면 세상의 가장 큰 문제를 해결하는 데 집중할 수 있습니다." 빌 게이츠 (미국) 마이크로소프트 공동 창업자이자 자선사업가

"비전을 '원키'로 열면, 아무리 불가능해 보이더라도 성공을 위한 길을 닦는 것입니다." 엘론 머스크(미국), SpaceX 및 Tesla CEO

"자신의 목적에 대한 '원키'와 다른 사람에게 제공하는 가치는 항상 성공으로 이어질 것입니다." 오프라 윈프리 (미국) 미디어 경영자 및 자선사업가

"혁신과 지속적인 개선에 대한 '원키'가 우리를 앞서 나갈 수 있게 해주는 원동력입니다." 팀 쿡

(미국인) 애플 CEO

"비즈니스 비전과 실행의 '원키'는 부를 얻는 가장 빠른 길입니다."_마크 쿠반 (미국인) 기업가 및 투자자

"우리 대의의 '원키'는 우리에게 기후 정의를 위해 싸울 힘을 줍니다."_그레타 툰베리 (스웨덴) 환경 운동가

"자신의 사명을 '원키'로 열 때 세상을 바꿀 수 있습니다."_타라나 버크 (미국인) 운동가, 미투 운동 창시자

"클라우드 컴퓨팅의 잠재력에 대한 '원키'가 우리의 전례 없는 성장을 이끌었습니다."_사티아 나델라 (인도계 미국인) 마이크로소프트 CEO

"당신의 예술과 당신이 전달하는 메시지의 '원키'로, 사람들에게 가장 큰 공감을 불러일으킵니다."_두아 리파 (영국) 가수 및 작곡가

"자신의 재능을 '원키'와 연결하고 지속적으로 연마하면 무한한 가능성의 문이 열립니다."_타라지 P. 헨슨 (미국) 배우

"내 '원키'를 믿고 내 음악에 충실한 것이 나를 지금의 위치로 이끌었습니다."_21 세비지 (영국계 미국인) 래퍼, 뮤지션

"원키"? 그게 뭔데?

당신은 무척이나 궁금할 것이다. 도대체 "키"가 무엇인지 말이다.

내가 "키"에 대해 깨달은 바는 다음과 같다. 이 "키"는 천재 학자가 오랜 연구 끝에 개발해 낸 것이 아니다. 이 "키"는 여러 전문가들이 모여서 집단 지성을 이용해 만들어 낸 것도 아니다. 이"키"는 사람들에 의해 조작되지도 않는다. 이것은 변형되지도 않으며 제한적인 것도 아니다. 이 사람에게는 적용되고, 저 사람에게는 적용되지 않는 것이 아니라는 말이다.

이와 반대로 이 "키"는 세 가지 특성을 가지고 있다. "키"는 보편적이고, 불변하며, 영원하다. 이것은 진리의 속성을 가지고 있다. 이"키"는 자연의 섭리 혹은 법칙이며, 우주의 법칙이다. 시간, 공간, 언어, 성별, 장소를 불문하고 모두에게 적용되는 힘이다. 당신이 몇 살이던, 어느 나라 사람이던, 어떤 언어를 쓰고 있던, 성별이 무엇이던 상관없다. 이 "키"로 당신이 원하는 것은 무엇이든 열어서 그 안에 있는 보물을 차지할 수 있다. 이 "키"는 "만능키(Master KEY)"이며

"절대키(The One Key)"이기 때문이다. 이 "키"는 에너지이고, 이 에너지는 힘이며, 이 힘은 법칙이고, 이것은 바로 확실한 느낌의 법칙(Law of feeling Certainty)이다.

"키"란 다름아닌 "확실한 느낌의 법칙"이다.

사람이 공부해서 짜 맞춘 것들은, 보통 복잡하거나 3단계, 5단계, 7단계 등을 거치는 등 생각을 혼란스럽게 만든다. 그러나 자연의 법칙, 우주의 법칙들은 정반대다. 간단하다. 단순하다. 명쾌하다. 즉, 유일한 하나이다. 그 하나밖에 없는 것이다.

나는 이 법칙을 내 애완견에게서 찾아냈다. 인간만 누릴 수 있는 것이 아니라, 동물에게서 더 잘 찾을 수 있다. 말 못하는 갓난 아기, 정신지체 장애인, 치매환자 등 오히려 언어를 사용하지 않고, 본능으로 살아가는 이들에게서 더 분명하게 드러난다. 당신의 애완동물들을 유심히 살펴보라. 그들은 확실한 느낌이 드는 행동만 한다. 그것은 생존 본능이니까.

"키"는 보편적이고, 불변하고, 영원하다. 누구나 찾으면 찾아지고, 느끼면 느낄 수 있고, 의식하면 볼 수 있는 것이다. 이 법칙을 만들기 위해서 요구되는 어떠한 조건도 없다. 자격도 요구되지 않는다. 단지 누구에게나 공평하고 평등한 법칙이다. 뉴턴의 만유인력의 법칙(중력설명), 열역학 법칙(에너지보존설명)을 보라. 또, 케플러의 행성 운동 법칙(우주 행성 간의 운동의 원리 설명), 허블의 법칙(우주 팽창의 원리설명), 론다 번의 끌어당김의 법칙(생각의 물리적 원리설명)을 보라.

"확실한 느낌의 법칙"은 이 세상 모든 원칙의 시작이며 뿌리이다. 그리고 원천이며 출발이다. 마치 모든 세상의 법칙들이 태어나는 어머니의 자궁과 같다. 론다 번은 끌어당김의 법칙이 우주에서 가장 강력한 법칙이라고 말한다. 나는 이렇게 말한다. 이 "확실한 느낌의 법칙"은 모든 우주의 법칙들을 작동시키는 어머니 법칙이라고 말이다. 왜냐하면, 이 법칙은 모든 법칙들을 품고 있는 절대 진리이기 때문이다. 그래서 나는 메타포(비유, 은유; Metaphor)적으로 표현하고 싶다. 즉, "확실한 느낌의 법칙"은 마치 무의식과 의식을 연결하는 통로와 같다. 신계와 인간계를 이어주는 끈이고, 영적차원과 물적차원을 연결하는 다리와 같다.

이 법칙의 기원은 태초이다. 태초부터 모든 순간 존재했고, 앞으로도 존재할 것이다.

확실한 느낌의 법칙은 인류 최초의 문명에서 찾아볼 수 있다. 인류 최초의 문자로 이미 기록되어 있다. 지금으로부터 약 5,500년전 수메르(Sumer)민족이 사용하던 문자로 점토판에 기록되어 있다. 그때부터 이미 확실한 느낌의 법칙이 활용되기 시작했다. 아니 수메르인이 이 법칙으로 인류 최초의 문명을 탄생시켰다. 특별히 슈르팍의 지침(5,500년전, Instructions of Shuruppak)에 잘 적혀 있다. 이 점토판은 수메르를 왕국으로 일으킨 최초의 왕인 슈루파크(Shuruppak)가 그의 아들 지우수드라(Ziusudra)에게 쓴 글이다. 그 내용은 다음과 같다. "한 나라의 왕이며, 한 남자로서 성공적이고 도덕적인 삶을 영위하기 위해서는, 반드시 '확실한 느낌의 법칙'을 사용하라"는 것이다.

수메르 문명이 확실한 느낌의 법칙을 사용한 이후, 이 "원키"는 소문을 타고 비밀리에 주변 국가로 전파되었다. 그 영향으로 수메르 문명 근처에 또다른 문명이 출현하게 되었다. 그 물결은 메소포타미아 전 지역으로 퍼지게 되었다. 그리고 결국 인류 최초의 방대한 크기의 메소포타미아 문명이 형성되었다. 이처럼 수메르 문명은 메소포타미아 문명을 형성하는 시발점이 되었다.

메소포타미아 문명에서도 길가메시의 서사시(4500
년전, Epic of Gilgamesh)를 통해 이 "확실한 느낌의
법칙"을 활용하면 영웅의 삶을 살 수 있음을 강조하였
다. 메소포타미아 문명은 인류최초의 법전을 탄생시켰
다. 이것이 그 유명한 함무라비 법전(3745년전)이다.
이 법전에는 어떻게 "확실한 느낌의 법칙"을 실생활에
적용하여 사회 안정과 성공을 촉진할지 그 지혜를 표
현하기까지 했다. 약 4,500년 전에는 아카드의 사르
곤왕도 이 법칙을 사용해서 그 당시 최 강대국이었던
수메르를 침략하기까지 한다.

세계 4대 문명의 또다른 발상지인 이집트문명의 상
형문자안에도 "확실한 느낌의 법칙"이 적혀 있다. 이
집트의 파라오 임호텝 왕이 남긴 것이다. 중국 황하문
명의 공자가 남긴 수많은 글안에도 "확실한 느낌의 법
칙"이 수없이 등장한다. 사라진 영원한 제국이었던 잉
카 제국의 글안에도 확실한 느낌의 법칙이 기록되어
있다. 이처럼 5대양 6대주 모든 문명에 이 "확실한 느
낌의 법칙"이 표현되어 있다.

그러나 안타깝게도 이 법칙은 왕들의 전유물, 정복
자들의 특권이었다. 그래서 비밀스레 자신의 후계자에
게만 전하고 싶은 지적자산으로 보물상자에 넣고 열쇠

로 잠가 놓고 감추어져 있었다. 이렇게 고대인들은 인류 최초의 역사안에서 문명을 일으킬 수 있을 정도로 이 법칙이 얼마나 강력하고 절대적인지를 알고 경험했다. 그들은 이 법칙을 자신들의 권력과 부를 축적하는 데 사용하고, 그 맛을 본 이들은 이 법칙을 감추려고 노력하였다.

그러나 그의 반작용이었을까? 누군가는 이 법칙을 찾아 오히려 세상에 가능하면 널리 전파하기도 하였다. 이 법칙은 그런 그들에게 인류 최고의 명예를 선물하였고, 모두 다 종교의 창시자가 되었다. 유대교, 힌두교, 불교, 신비주의, 그리스도교, 이슬람교 등이 지금까지 잘 알려져 있고 그 명맥을 이어오고 있다.

명예를 얻은 이들 종교의 창시자들 덕분에 이제는 수많은 사람들이 이 확실한 느낌의 법칙을 직접적, 간접적으로 사용하게 되었다. 그리고 그들 중 이 법칙을 제대로 사용한 사람들은 역사에 이름을 남기고, 왕국을 만들었으며, 때로는 자신의 왕국을 확장시켰다. 자신의 자손들이 대대로 먹고 살 수 있는 부를 쌓았으며, 세상을 바꾸는 혁명을 일으키기도 하였다. 한마디로 인생에 대박을 쳤고, 모두가 자기 분야에서 큰 업적을 남기고 대성공을 이루었다. 그들이 꿈꾸는 것이 무엇인지는 중요하지 않았다. 중요한 것은 그들은 자신이 원하는 것을 다 이루고 살게 되었다는 것이다. "확실한 느낌의 법칙"으로!

ONE KEY POINT

✓ "원키(절대키)"는 "확실한 느낌의 법칙"이다.

✓ "확실한 느낌의 법칙"은 변하지 않고, 보편적이며, 영원한 자연 및 우주의 법칙이다. 모든 사람과 상황에 적용될 수 있는 절대적인 원칙이다.

✓ "확실한 느낌의 법칙"은 수메르 문명에서 이미 사용되었으며, 이후 메소포타미아 및 다른 고대 문명에서도 중요한 역할을 했다.

✓ "확실한 느낌의 법칙"은 메소포타미아의 방대한 문명을 형성하는 데 중요한 역할을 했다. 유대교, 힌두교, 불교 등 여러 종교의 창시자들이 이 법칙을 널리 전파했다.

✓ "확실한 느낌의 법칙"을 올바르게 적용한 사람들은 역사에 이름을 남기고, 대성공을 이루었다. 그리고 그들은 자신의 분야에서 중요한 업적을 달성할 수 있었다. 이는 모든 사람이 원하는 것을 이룰 수 있음을 보여주는 중요한 증거이다.

"원키" 찾는법

"원키"는 우리의 본능에 숨겨져 있다.

"확실한 느낌의 법칙"은 모든 생명체의 생존 본능에 깊이 새겨져 있다. 이 법칙은 생존을 위해 중요한 결정을 내리도록 이끄는 에너지다. 모든 생명체는 먹이를 찾고, 피난처를 찾는다. 그들의 안전을 확보하는 이 행동의 중심에는 늘" 확실한 느낌의 법칙"이 자리하고 있다.

모든 생명체는 확실한 느낌의 법칙에 따라 움직인다. 육식동물은 먹이를 사냥할 때 자신의 확실한 느낌의 법칙을 가지고 움직인다. 초식동물은 천적으로부터 도망갈 때 자신의 확실한 느낌의 법칙을 가지고 움직인다. 이 확실한 느낌의 법칙은 의식적인 결정이 아니라 본능적인 반응이다.

"확실한 느낌의 법칙"은 자연의 섭리안에 있다.

뉴턴의 제1법칙인 관성의 법칙을 보라. 이 법칙안에 "확실한 느낌의 법칙"이 있다. 관성의 법칙은 외부 힘이 작용하지 않는 한, 물체는 정지 상태나 등속 직선 운동 상태를 유지한다. 이는 동물들이 자연스럽게 자신의 길을 따르며 외부 요인이 없으면, 그대로 유지되는 본능적 확실한 느낌의 법칙과 관련이 있다.

이에 대한 과학적 예시는 다음과 같다. 사자가 가젤을 추격할 때를 살펴보자. 사지는 직선으로 달리며 먹이를 잡을 수 있다는 자기 본능의 확실한 느낌의 법칙을 유지하며 달린다. 이와 마찬가지로 가젤 역시 같은 방식으로 자신은 도망칠 수 있다는 확실한 느낌의 법칙을 가지고 달린다. 사자와 가젤 중 그 순간 자신의 확실한 느낌의 법칙이 강한 쪽이 원하는 결과를 경험하게 된다. 사자의 확실한 느낌의 법칙이 강했다면, 사자는 그날 저녁 배부르게 잠을 청할 것이다. 가젤의 확실한 느낌의 법칙이 강했다면, 가젤은 다음날도 여유롭게 산책을 할 수 있을 것을 꿈꾸며 편안히 잠이 들 것이다. 이러한 역학 관계는 각 동물이 상대방의 움직임을 예측하고 빠르게 반응하는 확실한 느낌의 법칙에 기반한 것이다. 이것은 자연에서 생존을 결정짓는 끊임없는 상호 작용이다.

열역학 제2법칙안에도 "확실한 느낌의 법칙"이 있다. 이 법칙은 시스템이 자연적으로 무질서 상태로 진행된다고 말한다. 생명체는 본능적인 행동을 통해 이러한 무질서에 맞서며 질서를 유지한다. 더 쉽게 말해서, 늑대는 무리를 지어 사냥하며, 각자의 역할과 위치에 대한 확실한 느낌의 법칙을 가지고 무질서를 줄이고 사냥의 효율성을 높인다.

진화론안에도 "확실한 느낌의 법칙"이 있다. 진화론은 생존에 유리한 특성이 세대를 거쳐 유전된다고 주장한다. 생존 행동에 대한 확실한 느낌의 법칙은 DNA에 새겨져 있다. 그 한가지 예가 있다. 새가 둥지를 짓는 확실한 느낌의 법칙은 그 자손의 생존을 보장하는 진화적 특성이다. 이 행동은 수백만 년에 걸쳐 정제되었다.

이처럼, **"확실한 느낌의 법칙"은 모든 생명체의 본능 속에 숨겨져 있다.** 이 진리는 동물들의 투쟁 혹은 도피 반응에서도 볼 수 있다. 이러한 생명체의 반응은 자율 신경계의 일부이다. 생명체가 위협에 직면했을 때, 자율 신경계는 그 생명체를 즉각적으로 대처하도록 준비시킨다. 이 확실한 느낌의 법칙은 생존에 필수적이기 때문이다.

예를 들어, 토끼가 호랑이를 감지했을 때, 토끼 몸은 즉각적으로 고정, 도주 또는 싸울 것인지 결정한다. 이 자동적인 반응은 토끼의 확실한 느낌의 법칙에 기반하여 생존 가능성을 최대화한다. 이처럼, 동물의 생존 본능은 확실한 느낌의 법칙이 어떻게 작용하는지를 보여주는 흥미로운 예시들이다.

철새는 수천 마일을 정확하게 이동하며, 목적지와 경로에 대한 자기내부의 확실한 느낌의 법칙에 의해 움직인다. 이 행동은 지구의 자기장, 천체의 위치, 환경 신호에 의해 영향을 받으며, 복잡하지만 확실한 느낌의 법칙의 본능적 추진력을 보여준다.

지금 당장이라도 함께 있는 강아지, 고양이와의 교감이 어떻게 이루어지고 있는지 살펴보라. 처음부터 그렇게 서로 교감이 되었는가? 누구도 그렇지 않을 것이다. 생존본능에 의해 잔뜩 경계를 하고 있는 그들에게 천천히 맛있는 음식으로, 당신은 그들을 해칠 맘이 없다는 확실함을 계속 표현하지 않았는가? 그들은 스스로 확실한 느낌이 들어서 당신의 호의에 신뢰로 응답하고 있는 것이다.

이러한 생존본능과 **확실한 느낌의 법칙의 역학관계**

는 식물에서도 나타난다. 식물도 겉으로 보기엔 정적인 존재이지만, 생존 본능에서 확실한 느낌의 법칙을 보여준다.

그 중 하나의 예가 바로 식물의 굴광성이다. 굴광성은 식물이 빛에 반응하여 성장하는 것이다. 식물은 광합성을 위한 최적의 빛을 향해 나아가려는 자기 내면의 확실한 느낌의 법칙에 의해 움직인다.

해바라기는 하루 종일 태양을 따라 방향을 바꾸며, 최대한 많은 빛을 흡수하여 성장한다.

또다른 예로, 식물의 굴중성을 들 수 있다. 굴중성은 식물이 중력에 반응하여 성장하는 것이다. 뿌리는 아래로, 줄기는 위로 자라도록 하는데 이 또한 식물의 본능에 새겨져 있다. 이렇게 하면 생존할 수 있다는 확실한 느낌의 법칙에서 출발한다.

새싹이 흙에서 나올 때 뿌리는 아래로, 줄기는 위로 자라며 생존과 번식을 위한 최적의 방향을 잡는다. 누가 가르쳐주거나 지시하지 않아도 말이다. 그들은 확실한 느낌의 법칙을 따른다. 본능적으로.

식물과 확실한 느낌의 법칙의 상호관계는 씨앗 분산 메커니즘안에서도 쉽게 볼 수 있다. 많은 식물은 씨앗을 분산시키기 위한 특수한 메커니즘을 발전시켰다.

이는 자손들이 적절한 환경을 찾도록 하는 것이다. 이 것은 자기 생존의 확실한 느낌의 법칙에서 진화했음을 보여준다.

민들레는 바람을 통해 씨앗을 퍼뜨린다. 민들레의 갈고리 열매는 동물의 털에 붙어 새로운 비옥한 땅에 도달한다.

더 흥미로운 식물의 예시도 있다. 바로 식물의 휴면 과 발아 시스템이다. 씨앗은 조건이 적절할 때까지 휴 면 상태를 유지한다. 씨앗은 발아하기 위한 최적의 시 기를 기다린다. 이는 생존 본능에 의한 자기가 설정해 놓은 확실한 느낌의 법칙이 충족될 때를 기다리는 것 이다. 이는 씨앗도 반드시 본능적인 확실한 느낌의 법 칙을 따른다는 것을 증명하고 있는 것이다.

이처럼, 자연의 섭리에서 생물학적 본능에 이르기까 지, **확실한 느낌의 법칙은 모든 생명체의 생존과 성공 을 이끄는 근본 원리다.** 이 법칙을 이해하고 활용함으 로써 당신은 자연의 질서에 맞추어 살아 갈 수 있다. 또한 당신의 잠재력을 최대한 발휘하고 목표를 달성할 수 있다. 이러한 이론과 예시들을 통해, 확실한 느낌의 법칙이 얼마나 강력하고 보편적인지를 다시 한번 확인 할 수 있다.

"확실한 느낌의 법칙"은
과학이다

"확실한 느낌의 법칙"은 뜬구름 잡는 이야기가 아니다. "우주에 기운을 보내라", "간절히 기도하면 다 잘된다."와 같은 환상적인 이야기가 아니다. "확실한 느낌의 법칙"은 과학이다. 과학은 확실한 느낌의 법칙이 얼마나 강력할 수 있는지를 이해하는 데 중요한 역할을 한다. 현대 과학 연구는 우리의 확실한 느낌의 법칙이 현실을 어떻게 형성하는지에 대한 명확한 증거를 제공한다.

"확실한 느낌의 법칙"의 힘

확실한 느낌의 법칙은 단순한 마음의 상태 그 이상이다. 그것은 당신의 행동과 결과에 직접적인 영향을 미친다. 이 법칙은 신경학적이고 생리학적인 현상이다. 특정 결과에 대해 확실함을 느낄 때, 당신의 뇌는 이 확실한 느낌의 법칙을 지지하는 경로를 만들어낸다. 그리고 그 경로는 당신의 행동과 결정으로 나타난다.

확실한 느낌의 법칙은 뇌의 신경 경로를 강화시키는 중요한 역할을 한다. 당신의 뇌는 반복되는 생각과 감정에 반응한다. 그렇게 새로운 신경 연결을 형성하고 강화하는 신경가소성(neuroplasticity)이라는 능력을 가지고 있다. 우리가 특정 목표에 대해 확실한 느낌을 갖고 지속적으로 생각할 때, 당신의 뇌는 그 목표와 관련된 신경 경로를 강화하여 더 쉽게 접근할 수 있도록 한다. 이로 인해 우리는 그 목표를 향해 나아가는 데 필요한 행동을 더 자연스럽게 하게 된다.

확실한 느낌의 법칙은 당신의 생리적 반응을 변화시킨다. 긍정적이고 확신에 찬 느낌은 스트레스 호르몬의 분비를 줄인다. 뿐만 아니라, 행복 호르몬인 세로토닌과 도파민의 분비를 증가시킨다. 이러한 생리적 변화는 우리가 더 차분하고 집중력 있게 목표를 추구할 수 있도록 도와준다. 또한, 이 상태에서는 자신감이 높아진다. 자신감이 높아지면 면역 기능도 강화되어 전반적인 건강 상태가 개선된다. 따라서 확실한 느낌의 법칙은 당신의 몸과 마음을 최상의 상태로 만들어 목표 달성에 필요한 에너지를 제공한다.

확실한 느낌의 법칙은 당신의 행동을 구체적으로 변화시킨다. 확신을 느낄 때, 우리는 더 적극적이고 창의적으로 문제를 해결하려는 경향이 있다. 이것은 본능이다. 당신은 이때 실패를 두려워하지 않고 도전하는 자세를 가지게 된다. 그리고 어려움에 직면했을 때, 당신은 포기하지 않고 지속적으로 노력하게 된다. 이러한 태도 변화는 결국 성공으로 이어지게 된다. 예를 들어, 많은 성공한 기업가들이 초기에 실패를 했다. 그러나 그들은 그 실패를 딛고 일어서서 더 큰 성공을 이루었다. 그 이유는 그들이 자신의 성공에 대한 확실한 믿음을 가지고 있었기 때문이다.

확실한 느낌의 법칙은 주변 사람들에게도 긍정적인 영향을 미친다. 자신감 넘치는 태도는 다른 사람들에게도 영감을 주고, 협력과 지지를 이끌어낼 수 있다. 팀 내에서 리더가 확실한 목표와 방향성을 제시하면, 팀원들도 그에 따라 동기부여되고 열정을 가지고 일하게 된다. 그리고 이 팀은 집단적인 확신을 갖게 된다. 이렇게 형성된 집단적 확실한 느낌은 더 큰 성과를 만들어내는 데 중요한 역할을 한다.

　　확실한 느낌의 법칙은 당신의 결정을 더욱 신속하고 정확하게 만든다. 확신이 없을 때 당신은 결정을 내리는 데 있어 주저하거나 망설이게 된다. 그러나 확실한 느낌의 법칙을 가질 때, 당신은 명확한 목표를 가지고 신속하게 결정을 내릴 수 있다. 이는 시간을 절약하고 효율성을 높이는 데 기여한다. 결과적으로, 이러한 신속하고 정확한 결정은 당신의 목표 달성을 가속화시킨다.

　　확실한 느낌의 법칙은 당신의 스트레스 관리 능력을 향상시킨다. 확신을 가진 사람은 스트레스 상황에서도 평정을 유지한다. 그리고 문제를 효과적으로 해결할 수 있는 능력을 발휘한다. 이는 심리적 안정성을 높이게 되는 것이다. 더불어 일상 생활에서의 전반적인 스트레스 수준을 감소시킨다. 스트레스 관리가 잘 되면 신체적 건강뿐 아니라 정신적 건강도 함께 개선되어 더 나은 삶의 질을 누릴 수 있다.

　　확실한 느낌의 법칙은 당신의 장기적인 비전과 목표 설정에 중요한 역할을 한다. 확신을 갖고 있는 사람은 명확한 장기 목표를 세운다. 그리고 그 목표를 달성하기 위해 꾸준히 노력한다. 이는 단기적인 성과뿐 아니라 장기적인 성공과 만족을 이루는 데 필수적이다. 장

기 목표에 대한 확실한 느낌의 법칙은 당신에게 지속
적인 동기부여를 제공할 것이다. 더군다나 어려운 시
기에도 포기하지 않고 나아갈 수 있는 힘을 줄 것이다.

이렇듯 확실한 느낌의 법칙은 단순한 마음의 상태가
아니다. 오히려 당신의 행동과 생리적 반응, 그리고 주
변 사람들에게까지 영향을 미치는 강력한 힘이다.

그런데, 이러한 확실한 느낌의 법칙은 왜 지금 당장
당신에게 중요한가? 그리고 어떻게 당신의 삶과 목표
달성에 긍정적인 영향을 미치는가? 또한 확실한 느낌
의 법칙이 어떻게 그리고 왜 당신에게 구체적인 성공
이라는 결과를 안겨주는가?

과학 영역안에서 "원키 대가들"의 가르침

확실한 느낌의 법칙은 당신의 삶과 목표 달성에 깊

은 영향을 미친다. 이는 여러 과학적 이론과 연구로 입증된 바 있다. 이 법칙이 중요한 이유를 배워보자. 이 법칙이 어떻게 구체적인 성공으로 이어질 수 있는지를 살펴보자. 과학 영역안에서 활동하는 위대한 "원키 대가들"의 가르침을 경청해 보자.

 "우리의 뇌는 확실한 느낌의 법칙으로 평생 동안 변하고 적응할 수 있다."_마이클 머저닉 박사

신경가소성(Neuroplasticity)은 당신의 뇌가 새로운 경험과 학습에 따라 구조적으로 변할 수 있는 능력이다. 확실한 느낌의 법칙을 지속적으로 유지하면, 당신의 뇌는 이러한 긍정적인 신념과 목표를 지지하는 신경 경로를 강화한다.

실제 사례로는, 마이크로소프트의 공동 창립자 빌 게이츠의 이야기를 하겠다. 그는 새로운 기술을 배우고 도전하는 것을 두려워하지 않았다. 그의 성공은 끊임없는 학습과 확실한 느낌의 법칙을 통한 신경가소성을 통해 새로운 기술을 습득한 결과다.

 "확실한 느낌의 법칙은 놀라운 치료 효과를 가

져울 수 있습니다."_테드 캅추크 박사

플라시보 효과(Placebo Effect)는 치료가 실제로 효과가 없더라도 환자의 확실한 느낌만으로 긍정적인 결과를 얻는 현상이다. 이는 우리의 신념과 확실한 느낌이 신체적 변화를 일으킬 수 있음을 보여준다.

유명 테니스 선수 세레나 윌리엄스는 자신의 몸 상태가 최고라고 확신하였다. 그녀는 확실한 느낌의 법칙을 활용하여 경기에서 뛰어난 성과를 냈다. 그녀가 활용한 이러한 확실한 느낌의 법칙은 실제로 그녀의 경기력을 향상시켰다.

"확실한 느낌의 법칙을 통한 긍정적인 감정은 우리의 마음을 열고, 더 나은 성과를 창출하게 합니다."_바버라 프레드릭슨 박사

확실한 느낌의 법칙이 만들어낸 **긍정적 사고(Positive Thinking)**는 우리의 인식을 확장하고 창의성을 높인다. 그래서 도전적인 상황에서 더 나은 결정을 내리도록 돕는다. 긍정적인 감정은 스트레스를 줄이고, 목표 달성을 위한 동기를 부여한다.

기업가 일론 머스크는 그의 확실한 느낌의 법칙이 만들어낸 긍정적인 사고와 혁신적인 아이디어로 테슬라와 스페이스X를 성공적으로 이끌었다. 그의 이러한 태도는 끊임없는 도전과 성공을 가능하게 했다.

"자기 효능감은 우리가 도전에 직면했을 때 확실한 느낌의 법칙을 가지고 문제를 해결할 수 있게 합니다."_앨버트 반두라 박사

자기 효능감(Self-Efficacy)은 자신이 특정 상황에서 성공할 수 있다는 확실한 느낌의 법칙이 만들어낸 것이다. 높은 자기 효능감은 도전적인 목표를 설정하고, 이를 달성하기 위해 꾸준히 노력하게 만든다.

오프라 윈프리는 어려운 환경에서 자랐다. 그러나, 그녀는 자신의 능력을 확실한 느낌의 법칙에 적용하고 꾸준히 노력하여 세계적인 방송인이 되었다. 그녀의 확실한 느낌의 법칙을 통한 자기 효능감은 그녀의 성공을 가능하게 했다.

"확실한 느낌의 법칙을 통한 회복탄력성은 우리가 역경을 극복하고 성장할 수 있게 합니

다.”_마틴 셀리그먼 박사

확실한 느낌의 법칙을 통한 **심리적 회복탄력성
(Psychological Resilience)**은 스트레스와 역경에 직
면했을 때 이를 극복하고 더욱 강해질 수 있는 능력이
다. 확실한 느낌의 법칙은은 회복탄력성을 높여 어려
운 상황에서도 목표를 향해 꾸준히 나아가게 한다.

제프 베이조스는 아마존을 창립하고 초기의 어려움
을 극복하였다. 그리고 마침내 세계 최대의 온라인 소
매업체로 성장시켰다. 그의 확실한 느낌의 법칙을 통
한 회복탄력성은 도전적인 상황에서도 포기하지 않고
지속적으로 노력하게 했다.

 “확실한 느낌의 법칙을 통한 명확하고 도전적
인 목표는 동기부여와 성과를 향상시킵니다.”_
에드윈 로크 박사

확실한 느낌의 법칙을 통한 **목표 설정 이론(Goal
Setting Theory)**이다. 이 이론은 명확하고 구체적인
목표를 설정하는 것이 동기 부여와 성과 향상에 중요
한 역할을 한다는 것이다. 확실한 느낌의 법칙은 이러

한 명확한 목표 설정을 가능하게 하여, 개인이 더욱 집 중하고 지속적으로 노력하게 만든다.

샤넬(Chanel) 브랜드를 창립한 코코 샤넬은 확실한 느낌의 법칙으로 명확한 목표를 설정했다. 그리고 그 것을 이루기 위해 끊임없이 노력했다. 그녀의 목표 설 정 능력은 패션 업계에서 그녀의 성공을 이끌었다.

 "확실한 느낌의 법칙이 만들어 낸 높은 성취 동 기를 가진 사람은, 도전적인 목표를 설정하고 이를 달성하기 위해 노력합니다."_데이비드 매클 렐런드 박사

확실한 느낌의 법칙이 만들어 낸 **성취 동기 이론 (Achievement Motivation Theory)**이다. 개인의 성 취 동기가 높을수록 도전적인 목표를 높게 설정한다. 그리고, 이를 달성하기 위해 더 많이 노력한다는 것이 다. 확실한 느낌의 법칙은 성취 동기를 높여 개인이 더 높은 목표를 설정하고, 이를 이루기 위한 지속적인 노 력을 가능하게 한다.

마라톤 선수 킵초게 엘리우드는 2시간 벽을 깨기 위 한 도전을 통해 자신의 성취 동기를 극대화하였다. 그

리고 마침내, 2019년 비엔나 마라톤에서 1시간 59분 40초라는 기록을 세웠다. 그의 확실한 느낌의 법칙을 통한 높은 성취 동기는 그의 역사적인 성과를 가능하게 했다.

확실한 느낌의 법칙은 과학이다. 신경가소성, 플라시보 효과, 긍정적 사고, 자기 효능감, 심리적 회복탄력성, 목표 설정 이론, 성취 동기 이론 외에도 더 많은 이론들이 이를 뒷받침해 주고 있다. 이러한 이론들은 우리의 믿음과 확실한 느낌의 법칙이 실제로 우리의 행동과 결과에 깊은 영향을 미친다는 것을 보여준다. 권위자들의 연구와 실제 사례들은 이 법칙이 왜 중요한지 명확히 증명해 준다. 그리고 어떻게 우리의 삶과 목표 달성에 긍정적인 영향을 미치는지에 대한 가치를 입증해 준다.

이러한 과학적 입증에도 불구하고, 지금 당신의 마음속에는 이러한 의문이 남아있다. **"이거 말 바꾸기 아니야? 확실한 느낌의 법칙"은 결국 내가 이미 알고 있는 믿음이나 자기확신, 신념 아닌가?"** 라고 말이다.

아니다. **"확실한 느낌의 법칙"은 다르다.**

당신의 의문에 나는 확실한 느낌을 가지고 답한다. 아니다. 다르다. "확실한 느낌의 법칙"은 당신이 이미 알고 있던 믿음이나 자기확신, 신념이나 가치관과는 다르다. 그 증거는 다음과 같다.

첫째로, 신경학적 기반이 다르다. 확실한 느낌의 법칙은 신경학적 변화를 통해 뇌의 구조를 변화시킨다. 단순한 믿음이나 가치관, 자기확신과 달리, 이 법칙은 반복적인 확신과 행동을 통해 신경 경로를 강화하고 형성한다. 확실한 느낌의 법칙을 통한 신경가소성 (Neuroplasticity)은 우리의 뇌가 새로운 경험과 학습에 따라 구조적으로 변할 수 있는 능력이다. 확실한 느낌의 법칙을 지속적으로 유지하면, 우리의 뇌는 이러한 긍정적인 신념과 목표를 지지하는 신경 경로를 강화한다. 이는 단순한 믿음이나 가치관보다 더 깊이 뇌의 구조를 변화시킨다.

둘째로, 생리적 반응이 다르다. 확실한 느낌의 법칙은 우리의 생리적 상태를 변화시킨다. 확실한 느낌이 주는 긍정적 감정은 스트레스 호르몬의 분비를 줄이고, 행복 호르몬인 세로토닌과 도파민의 분비를 증가시킨다. 긍정적 사고와 확실한 느낌의 법칙이 결합되면, 우리의 신체는 더 차분하고 집중력 있게 목표를 추구할 수 있게 된다. 이는 단순한 믿음이나 가치관과 달리, 우리의 생리적 상태를 변화시켜 실제 행동과 성과에 직접적인 영향을 미친다.

셋째로, 행동과 결합된 신념체계가 다르다. 확실한 느낌의 법칙은 구체적인 행동과 결합된 내면체계이다. 이는 단순히 믿는 것에서 그치지 않고, 확신을 가지고 행동하게 만든다. 자기 효능감(Self-Efficacy)은 자신이 특정 상황에서 성공할 수 있다는 확신이다. 확실한 느낌의 법칙은 이 자기 효능감을 강화하여, 단순한 믿음이나 가치관과 신념을 넘어 실제 행동으로 이어지게 한다. 이는 구체적인 목표 설정과 이를 달성하기 위한 지속적인 노력을 가능하게 한다.

넷째로, 구체적 결과를 창출하는 초점이 다르다. 확실한 느낌의 법칙은 구체적인 결과를 창출하는 데 초점을 맞춘다. 신념은 일반적으로 가치와 원칙에 기반한 포괄적인 관점을 제공하지만, 확실한 느낌의 법칙은 명확한 목표 달성에 중점을 둔다. 신념은 종종 우리의 행동을 이끄는 기본적인 가치와 원칙을 나타내지만, 확실한 느낌의 법칙은 이 신념을 구체적인 목표와 행동으로 전환하여 실질적인 결과를 도출한다.

이러한 이유로, 오히려,

믿음은 확실한 느낌의 법칙의 기초가 된다. 믿음은 확신을 형성하는 첫 단계로, 확실한 느낌의 법칙은 이 믿음을 구체적이고 지속적인 확신으로 발전시킨다. 예를 들어, 믿음이 씨앗이라면, 확실한 느낌의 법칙은 이 씨앗을 성장시키는 과정이다. 믿음을 행동과 결합된 확신으로 발전시키는 과정에서 신경 경로가 형성되고 강화된다.

가치관은 우리의 행동과 결정을 이끄는 원칙이다. 그러나 **확실한 느낌의 법칙은 이러한 가치관을 구체적인 목표와 행동으로 전환한다.** 가치관이 방향을 제시한다면, 확실한 느낌의 법칙은 그 방향으로 나아가게 하는 추진력이다. 가치관은 우리의 삶의 기준과 방향을 설정한다. 그러나 확실한 느낌의 법칙은 이러한 가치관을 실제 행동으로 구체화하여 목표를 달성하도록 돕는다.

자기확신은 확실한 느낌의 법칙의 중요한 구성 요소이다. 자기확신이 있으면 확실한 느낌의 법칙을 실천하기가 쉬워진다. 그래서 확실한 느낌의 법칙을 지속적으로 실천하면 자기확신이 더욱 강화된다. 이때 보통 사람들은 자기확신과 확실한 느낌의 법칙을 같은 것으로 혼동하곤 한다. 그래서 당신도 둘이 같은 것 같다고 착각하는 것이다. 그러나 이 둘은 당신이 아는 바와 같이 완전히 다르다. 자기확신은 자신이 목표를 달성할 수 있다는 믿음이다. 확실한 느낌의 법칙은 이 믿음을 구체적인 행동과 결과로 연결하여 자기확신을 지속적으로 강화한다. 예를 들어, 성공적인 경험이 쌓이면서 자기확신이 높아지고, 이는 다시 확실한 느낌의 법칙을 강화하는 긍정적인 선순환을 만든다.

신념은 우리의 삶과 행동에 대한 포괄적인 방향성을 제공한다. 그러나 **확실한 느낌의 법칙은 이 신념을 구체적인 목표와 행동으로 전환한다.** 신념이 우리의 행동을 이끄는 내적 가치와 원칙이라면, 확실한 느낌의 법칙은 이를 통해 구체적인 결과를 창출하는 도구이다. 신념은 우리의 삶의 기본적인 원칙과 가치를 나타낸다.

확실한 느낌의 법칙은 이 신념을 바탕으로 구체적인 목표를 설정한다. 그리고, 이를 달성하기 위한 지속적인 노력을 통해 실질적인 결과를 도출한다.

이처럼, **확실한 느낌의 법칙은 다르다.** 신경학적 기반, 생리적 반응, 행동과 결합된 신념, 구체적 결과의 초점이라는 네 가지 주요 이유로 믿음, 가치관, 자기확신, 신념과는 차별화된다. 이러한 상관관계를 통해, 확실한 느낌의 법칙은 우리의 삶에 실질적인 변화를 가져오는 강력한 원리로 자리매김하고 있다. 이 법칙은 믿음, 가치관, 자기확신, 신념을 바탕으로 우리의 행동과 결과를 구체화하여 목표를 달성하는 데 중요한 역할을 한다.

열어라. 잠겨 있는 이 세상 모든

보물 상자들을!

흥미롭지만 어려운 구간을 지나 여기까지 왔다. 유익하지만 딱딱한 지식의 고개를 넘었다. 잠시 머리를 식히자. 이제는 두뇌의 회전을 늦추고 편안히 재미있는 소설책 한권을 읽는 모드로 계속 책장을 넘겨라. 당신에게 즐거운 이야기를 하나를 들려주겠다.

어둠 속에서 반짝이는 한 줄기 빛이 보인다. 그 빛은 고요한 숲 속에서 시작되어, 멀고 먼 산과 바다를 넘어 모든 곳에 퍼져나간다. 이 빛은 단순한 빛이 아니다. 그것은 이 세상 모든 묶여 있는 비밀을 풀 수 있는 키다. 닫혀 있는 모든 보물 상자를 열 수 있는 키다. 그리고 잠겨 있는 모든 문을 열 수 있는 "절대 키"다. 그 빛을 따라가다 보면, 마침내 당신 앞에 한 사람이 서 있다. 그 사람은 바로 당신이다. 당신이 그 빛을 쫓아 여기에 도달한 주인공이다. 그리고 이제 당신은 원키의 제왕으로서 새로운 여정을 시작하게 된다.

숲의 깊은 곳, 가장 고요하고 신비로운 곳에, "절대 키"가 숨겨져 있다. 이 키는 오랜 세월 동안 숨겨져 있었고, 오직 진정한 주인만이 그것을 발견할 수 있었다. 절대 키는 단순한 금속 조각이 아니다. 지구의 것이라고 할 수 없을 정도로 형형할 수 없는 아름다운 빛을 내는 수정들과 보석들로 만들어져 있다. 이 절대 키는 다이아몬드보다 단단하고 금보다 밝으며, 다양한 색을 품고 있다. 한번 보면 누구든지 그 매력에 빠져 절대로 놓치고 싶지 않게 한다. 이 키는 그 자체로 경이롭고 우아하고 권위가 있는 신비로운 생명체 같은 울림이 느껴진다.

그것은 고대의 지혜와 힘을 담고 있다. 그 힘은 세상의 모든 비밀을 풀고, 모든 비밀의 문을 열며, 모든 보물 상자의 자물쇠를 무용지물 시킬 수 있다. 이 키를 손에 쥔 자는 이 세상의 주인이 될 수 있다. 이 키를 차지한 자가 바로 영웅이 될 수 있다. 당신이 찾지만 이 키가 자신의 주인을 선택할 수 있다. 선택된 자만이 절대키의 주인공이 된다. 그런데, 이 절대키가 드디어 자신의 주인을 선택했다. 그 주인은 바로 당신이다. 당신이 바로 그 주인공이다. 이제 당신은 절대 키의 제왕이 되었다.

　절대 키를 손에 넣은 당신은 무한한 능력을 가지게
되었다. 이 세상의 주인이 될 수 있다. 이 키는 물질로
되어 있는 모든 닫혀 있는 문, 자물쇠를 단번에 열 수
있다. 뿐만 아니라, 물질을 뛰어넘어, 비물질로 되어
있는 닫혀 있는 모든 것들도 열수 있다. 이것은 당신의
내면의 문을 열고, 당신의 잠재력을 끌어낼 수 있다.
당신이 상상조차 할 수 없었던 가능성을 현실로 만들
어준다. 절대 키는 당신의 꿈과 목표를 실현시키는 원
동력이 된다. 이제 당신은 더 이상 두려움이나 의심에
휩싸이지 않는다. 당신은 그 어떤 장애물도 뛰어넘을
수 있는 힘을 가지게 되었다.

　절대키의 힘을 깨달은 당신은 이제 완전히 새로운
사람이 되어 완전히 새로운 인생을 시작하게 되었다.
당신은 이 여정안에서 다양한 것들을 경험할 수 있을
것이다. 즐거움을 잃지 않을 정도로만 난위도가 있을
것이다. 난위도가 없으면, 단조롭고 지루해서 이 여정
을 그만두고 싶어 질 수 있기 때문이다. 절대키는 당신
이 그 길을 즐겁게 갈 수 있도록 도와줄 것이다. 당신
이 절대키의 힘을 제대로 이해하고 활용할 때, 당신은
모든 문을 열고, 모든 보물 상자의 자물쇠를 여는 즐거
움에 푹 빠지게 될 것이다. 이 여정은 당신을 더 강하

게 만들고, 더 지혜롭게 만들며, 더 자신감 있게 만들 것이다. 당신은 무한히 성장할 것이다. 당신은 키의 제왕으로서 이 세상을 새롭게 변화시키는 주인공이 될 것이다.

이제, 당신 앞에 있는 첫번째 문을 열어라. 이 문은 당신을 신비롭고도 위대한 여정으로 초대하는 초대장이다. 당신은 절대키를 손에 쥐고, 새로운 세상으로 나아갈 준비가 되었는가? 두려움을 버리고 절대키의 주인답게 이 여정을 시작하기 바란다. 잊지 마라. 당신은 키의 제왕이다. 이 여정은 오직 당신만을 위해 준비한 것이다. 열어라. 당신의 여정이 시작된다.

ONE KEY POINT

✓ 모든 생명체는 생존 본능에 깊이 새겨진 "확실한 느낌의 법칙"에 따라 움직인다. 이 법칙은 생존을 위한 중요한 결정을 내리는 본능적 에너지이다.

✓ "확실한 느낌의 법칙"은 뉴턴의 관성의 법칙, 열역학 제 2 법칙, 진화론 등 과학적 이론에 통합되어 있다. 생명체들은 이 법칙을 따라 자신의 길을 선택하고 생존의 효율성을 높인다.

✓ "확실한 느낌의 법칙"은 신경가소성을 통해 뇌의 신경 경로를 강화하고, 긍정적인 생리적 변화를 유발한다. 이는 스트레스 호르몬을 줄이고 행복 호르몬의 분비를 증가시킨다.

✓ "확실한 느낌의 법칙"은 구체적인 행동 변화를 유도하며, 신념과 가치관을 실제 행동으로 연결한다. 확실한 느낌을 가질 때, 개인은 더 자신감 있고 목표 지향적으로 행동한다.

✓ "확실한 느낌의 법칙"은 명확하고 구체적인 목표를 설정하는 데 중요하며, 지속적인 동기 부여를 제공한다. 이는 개인이 어려운 시기에도 포기하지 않고 나아갈 수 있는 힘을 준다.

✓ "확실한 느낌의 법칙"은 타인에게 긍정적인 영향을 미치고, 협력과 지지를 이끌어낸다. 리더가 명확한 목표와 방향성을 제시할 때 팀원들도 동기부여되고, 집단적인 확신을 형성한다.

✓ "절대 키(원키)"는 모든 문을 열 수 있는 신비로운 능력을 상징한다. 이 키는 사용자에게 무한한 가능성을 열어주며, 내면의 잠재력을 최대로 발휘하게 한다.

"원키" 사용법

1 단계. 키홀을 찾아라: 진리문장.

당신이 원하는 것을 얻기 위한 첫 번째 단계는 키홀을 찾는 것이다. 키홀이란 당신이 원하는 것을 뒷받침해주는 "100% 확실한 느낌이 드는 문장"을 말한다. 나는 이것을 "진리문장"이라 부르겠다. 이 진리문장은 당신의 목표를 지지하고, 당신의 마음과 행동을 하나로 묶어줄 것이다. 진리문장은 짧고 강력한 하나의 문장이다. 진리문장은 단순한 희망이나 바람이 아닌, 당신의 내면 깊숙이 자리 잡은 100%의 확신이다. 99%도 아닌 100% 확실한 느낌이다. 왜냐하면, 그 1%의 불확신이 결국 당신을 방해하고, 당신이 원하는 것을 갖지 못하게 할 것이기 때문이다.

100% 확실한 느낌을 한 문장으로 적는다. 그렇게 찾아낸 진리문장을 "진리미터기"에 대고 진리 점수를 체크한다. 진리미터기란 당신이 찾은 진리문장이 얼마나 진리에 가까운지를 점검하는 도구이다. 0점은 진리와 거리가 멀다는 것을 의미하며, 10점은 진리 그 자체라는 것을 말한다. 이 과정은 매우 중요한 단계이다. 왜냐하면, 뜬구름 같이 뿌연 당신의 막연한 머리 속 생각을, 솜사탕같이 잡고 맛보고 느낄 수 있게 현실화해 주는 첫번째 전환점(Turning Point)이기 때문이다. 진리미터기는 당신의 바램과 확신이 얼마나 강력하고 진실한지를 객관적으로 볼 수 있게 해준다.

진리미터기를 통해 점수를 확인한다. 그 다음 당신은 그 진리문장이 얼마나 강력한지, 더 강화할 필요가 있는지를 체크할 수 있다. 진리 점수가 10점 만점이 나온다면, 당신은 100% 확실한 느낌이 드는 진리를 찾은 것이다. 당신은 그 순간 당신이 원하는 것(보물상자)과 원하는 것을 가질 수 있는 힘(보물상자에 맞는 키)을 찾아낸 것이다.

반대로 진리점수가 0점에 가깝게 나왔다면, 진리문장을 다시 작성하고, 확신이 더해질 때까지 찾아야 한다. 이 과정은 당신의 내면에서 진정한 확신을 이끌어

내는 데 필수적이다. 당신이 100% 원하지도 않고 100% 확신하지도 않는다면, 그것을 얻을 수 없다. 설사 운이 좋아 얻어도 당신을 만족시키지 못하기에, 그것은 쉽게 당신을 떠날 것이다. 처음부터 당신이 진정 원하지 않았기 때문이다.

이러한 이유로, 이 작업은 매우 중요한 단계이다. 당신이 목표를 달성하기 위한 기초를 다져주기 때문이다. 당신이 진리미터기를 사용하여 진리문장을 강화하면, 그 진리는 단순한 생각에서 실제 행동으로 옮겨지게 될 것이다. 당신의 확신은 행동을 통해 실현되며, 이 과정에서 당신은 더 강한 동기부여와 자신감을 얻게 될 것이다. 키홀을 찾는 과정은 단순한 신념, 믿음을 넘어서, 당신의 인생에 실질적인 변화를 가져오는 첫 걸음이 될 것이다.

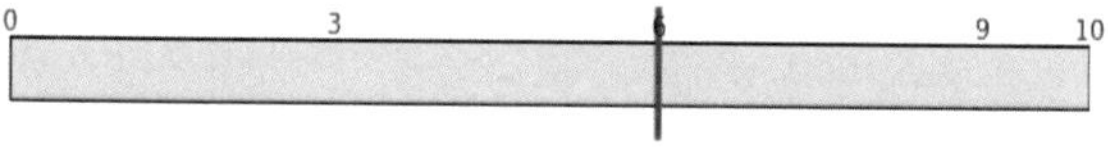

□□□□□: □□ □□□ "0"□, □□ □ □□□ "10"□ □□□, □□□□ "3", "6", "9" □□ □□□ □□ □□

[진리미터기: 진리미터기의 한쪽 끝에는 "0"이, 다른 쪽 끝에는 "10"이 있으며, 중간에는 "3", "6", "9" 등의 표시가 있는 척도기]

진리 점수	진리와 거리가 멀다 (약한 믿음)
	중간 정도의 진리 (일부 확신)
	진리에 가까움 (강한 확신)
	절대 진리 (완전한 확신)

[진리미터기 표: 당신이 체크한 점수에 따른 진리성과 확실한 느낌 해석표]

진리미터기는 당신의 진리문장이 얼마나 진리에 가

까운지를 점검하는 도구이다. 0점은 진리와 거리가 멀다는 것을 뜻하며, 10점은 진리에 가장 가깝다는 것을 뜻한다. 이 과정을 통해 당신의 신념이 단순한 바람이나 희망에서 벗어나, 실질적인 확신과 동기로 전환될 수 있다. 진리미터기를 통해 확신의 강도를 측정하고, 필요에 따라 확신을 강화해 진리가 되게 하라.

예시 1: 사업 성공

3점 문장: "나는 사업을 성공시킬 수 있을지도 모른다." (미래형)

6점 문장: "나는 꾸준히 노력하면 내 사업을 성공시킬 수 있을 것이다." (미래형)

9점 문장: "나는 매일 꾸준히 노력하여 내 사업을 성공시킬 수 있다." (미래형)

10점 문장: "나는 매일 꾸준히 노력하여 내 사업을 성공시켰다." (과거완성형)

예시 2: 건강 성공

3점 문장: "나는 건강한 생활 습관을 가질 수 있을지도 모른다." (미래형)

6점 문장: "나는 건강한 생활 습관을 통해 내 체력을

어느 정도 향상시킬 수 있다." (미래형)

9점 문장: "나는 건강한 생활 습관을 통해 내 체력을 극대화할 수 있다." (미래형)

10점 문장: "나는 건강한 생활 습관을 통해 내 체력을 극대화했다." (과거완성형)

예시 3: 인간관계 성공

3점 문장: "나는 사람들과 잘 지낼 수 있을지도 모른다." (미래형)

6점 문장: "나는 긍정적인 태도로 사람들과의 관계를 개선할 수 있다." (미래형)

9점 문장: "나는 긍정적인 태도로 주변 사람들과의 관계를 개선할 수 있다." (미래형)

10점 문장: "나는 긍정적인 태도로 주변 사람들과의 관계를 개선했다." (과거완성형)

만약 당신의 진리문장을 진리미터기로 측정했을 때, 10점 만점이 나왔다고 가정하자. 그러면, 당신은 100% 확실한 느낌이 드는 진리문장을 찾아낸 것이다. 당신이 원하는 것(보물상자)과 원하는 것을 얻을 수 있는 힘(맞는 키)을 찾아낸 것이다. 당신은 이제 이 세상의 주인공이 되었다. 당신이 찾은 이 키는 당신이 원하는 모든 문을 열 수 있는 "절대 키"이다. 당신이 이 키를 손에 쥔 순간부터, 세상은 당신 중심으로 새롭게 펼쳐지게 된다.

당신의 마음 속에서 100% 확실한 느낌이 강하게 느껴질 때마다, 그 힘을 믿어라. 당신의 확실한 느낌은 단순한 느낌이 아니다. 그것은 당신의 내면 깊숙이 자리 잡은 강력한 에너지의 집합체이다. 이 에너지는 당신의 목표를 향해 나아가는 동력을 준다. 당신이 꿈꾸는 모든 것을 현실로 만드는 힘을 준다. 당신은 이미 성공의 키를 쥐고 있다. 이 키를 통해 무한한 가능성과 기회를 발견할 수 있다.

당신의 길을 막고 있던 모든 장애물은 이제 사라진다. 확실한 느낌의 법칙은 당신의 인생에서 모든 장애물을 제거해 준다. 당신이 원하는 목표를 달성하는 데 필요한 모든 자원을 제공한다. 어떤 어려움이 닥쳐도, 당신의 확실한 느낌은 그 모든 것을 극복할 수 있는 힘이 된다. 매 순간마다 당신의 확실한 느낌을 믿고, 그 확실한 느낌이 당신을 이끌도록 허용하라.

계속해서 진리문장을 강화하라. 진리미터기를 사용하여 당신의 확실한 느낌을 체크하라. 매일매일 이 과정을 반복하라. 그러면 당신은 점점 더 강력한 당신의 확실한 느낌을 가질 수 있다. 당신의 확실한 느낌이 강해질수록, 당신의 목표는 점점 더 가까워진다. 진리미터기를 통해 진리문장을 점검하라. 그리고 필요에 따라 조정하라. 그것은 당신이 목표를 달성하는 데 매우 중요한 작업이다. 이 과정을 통해 당신은 더욱 강력한 확실한 느낌을 가질 수 있다. 그리고 더욱 강력해지 확실한 느낌은 당신이 원하는 것을 가져다준다.

당신의 목표를 향해 나아가는 여정에서 작은 성공들을 축하하라. 작은 성공들은 큰 성공을 이루기 위한 디딤돌이 된다. 매일의 작은 성공들이 모여 큰 성과를 이루게 된다. 이러한 작은 성공들을 통해 당신은 자신감과 동기부여를 얻게 된다. 그리고 더 큰 목표를 향해 나아갈 수 있다. 작은 성공들을 축하하고, 그 성취감을 느끼며, 다음 단계로 나아가라.

마지막으로, 당신이 걸어가는 이 여정에서 항상 자신을 믿어라. 절대로 포기하지 마라. 지금 보이는 현실에 속지마라. 당신은 키의 제왕이다. 당신의 손에 쥔 이 절대키는 모든 닫힌문을 열고, 모든 문제를 해결할 수 있다. 모든 보물 상자를 열 수 있는 힘을 가지고 있다. 어떤 어려움을 격어도, 어떤 고통이 느껴져도, 당신의 확실한 느낌은 그 모든 것을 극복할 수 있는 힘이 된다. 당신은 할 수 있다.

당신은 이제 새로운 가능성의 문 앞에 서 있다. 이 문을 여는 키는 이미 당신의 손 안에 있다. 이 키를 통해 당신의 꿈을 실현하고, 원하는 모든 것을 이룰 수 있다. 당신의 여정은 이제 막 시작되었으며, 무한한 가능성이 당신을 기다리고 있다. 포기하지 않고, 계속해서 나아가라. 당신의 미래는 밝고, 성공은 당신의 것이다. 이 여정을 통해 당신은 더욱 성숙하게 된다. 당신은 더욱 강력하고, 지혜롭고, 자신감 넘치는 사람이 된다.

진리문장 템플릿

나의 진리문장

3점
_____

6점
_____

9점
_____

10점
_____

2 단계. 키를 집어넣고 돌려라:

강화문장들.

당신이 100% 확실한 느낌이 드는 진리문장을 찾아 냈다면, 이제 그것을 구체화해야 한다. 이 과정은 당신 이 귀하게 찾아낸 진리를 단단히 지탱해 준다. 또한 당 신이 실제로 원하는 것을 얻는 데 필수적인 단계이다. 원하는 결과를 얻기 위해서는 진리를 놓치지 않아야 한다. 더 나아가 진리를 더욱 견고하게 만들어야 한다.

케롤 드웩 박사(Dr. Carol Dweck)의 연구에 따르 면, 성장 마인드셋은 개인이 자신의 능력에 확실한 느 낌을 갖고 끊임없이 노력할 때 발전할 수 있다는 것을 강조한다. 드웩 박사는 **"우리가 진정으로 확실한 느낌 을 갖고 노력하면, 거의 모든 목표를 달성할 수 있다"**고 말한다. 이 이론을 통해 우리는 한 문장으로 정리된 확 실한 진리문장을 끊임없이 구체화하고 강화하는 것이 얼마나 중요한지를 이해할 수 있다.

또한 나폴리언 힐(Napoleon Hill)은 그의 책 "생각하라 그러면 부자가 되리라(Think and Grow Rich)"
에서 **"명확한 목표 설정과 확고한 신념이 성공의 열쇠"**
라고 강조한다. 힐(Hill)은 "생각이 현실이 된다"는 원
리를 바탕으로, 구체적인 목표와 그 목표에 대한 확고
한 진리문장이 성공을 이루는 데 필수적임을 설명한다.
당신의 진리문장을 명확하게 구체화하라. 그런 방법으
로 진리문장을 단단히 지탱하는 것은 매우 중요하다.
그 이유는 진리문장이 당신의 행동과 결과에 직접적인
영향을 미치기 때문이다.

스티븐 코비 박사(Dr. Stephen Covey)는 그의 저
서 "성공하는 사람들의 7가지 습관(The 7 Habits of
Highly Effective People)"에서 **"끝을 생각하며 시작
하라"**는 습관을 강조한다. 코비(Covey)는 목표를 명확
하게 설정하고, 그 목표를 향해 나아가는 과정을 중요
하게 여긴다. 그는 **"명확한 목표와 그에 따른 행동 계획
이 성공을 위한 필수 요소"**라고 말한다. 이 원칙에 따
라, 당신의 진리문장을 구체화하고, 그 목표를 향한 명
확한 계획을 세우는 것이 필요하다.

구체화를 통해 얻은 진리를 놓치지 않아야 한다. 그
러기 위해서는 진리문장을 체계화하고 강화문장을 작
성하는 것이 중요하다. 예를 들어, "나는 매일 꾸준히

노력하여 내 사업을 성공시킬 수 있다"라는 문장을 구체화하기 위해, "나는 매일 아침 7시에 일어나 업무 계획을 세운다"와 같은 구체적인 행동 계획을 추가한다. 이 과정은 당신의 확실한 느낌의 법칙을 더욱 견고하게 만들고, 목표를 달성하기 위한 구체적인 지침을 제공한다.

당신이 어렵게 찾아낸 진리를 단단하게 지탱하라. 그리고 그 진리를 바탕으로 원하는 결과를 얻어라. 그러기 위해서는, 진리문장을 명확하고 구체적으로 만드는 것이 중요하다. 월트 디즈니(Walt Disney)는 **"꿈꾸는 것이 가능하다면, 그것을 실현하는 것도 가능하다"**고 말한다. 이처럼, 당신의 확실한 느낌의 법칙을 통한 진리문장이 구체화되고 명확해질 때, 그 꿈은 현실이 된다. 당신은 이미 성공의 키를 손에 쥐고 있다. 이제 그 키를 돌려, 원하는 결과를 얻을 시간이다.

진리문장을 체계화하라

　　1단계에서 찾은 진리문장을 받쳐줄 문장을 강화해
야 한다. 이 문장을 강화문장이라 한다. 이 강화문장들
을 찾아라. 이 과정을 통해 당신은 다음과 같은 효과를
얻을 수 있다. 굵은 나무줄기와 같은 "진리"가 있다.
그 나무줄기를 땅아래에서 튼튼하게 지탱해 줄 "강화

체계"를 구축하라. 구체적이고 실행 가능한 계획으로 강화체계를 세우는 것이다. 이것이 바로 당신이 원하는 것을 확실히 얻을 수 있는 확실한 느낌 체계를 구축하는 원리이다. 진리문장은 당신의 목표와 신념을 명확하게 표현하는 출발점이다. 더불어 강화문장들은 이를 실현하기 위한 구체적인 행동 계획을 제시한다.

왜 체계화 해야하는가?

첫 번째 이유는 **구체화의 원리** 때문이다. 진리문장은 당신이 이루고자 하는 목표를 명확하게 정의해 준다. 그러나 목표를 달성하기 위해서는 이를 구체화할 필요가 있다. 강화문장은 진리문장을 더욱 구체적이고 실현 가능하게 만든다. 예를 들어, "나는 매일 꾸준히 노력하여 내 사업을 성공시킬 수 있다"라는 진리문장이 있다. 이를 구체화하기 위해 "매일 아침 7시에 일어나 업무 계획을 세운다"와 같은 강화문장을 작성한다. 이러한 구체화 과정은 당신의 목표를 명확하게 한다. 또한 이를 실현하기 위한 구체적인 행동 계획을 제시한다.

두 번째 이유는 **일관성의 원리** 때문이다. 강화문장을 통해 당신은 일관된 행동 패턴을 형성할 수 있다. 이는 당신의 진리문장을 행동으로 옮기게 한다. 당신으로 하여금 지속적으로 목표를 향해 나아갈 수 있게 한다. 일관된 행동은 당신의 진리문장을 강화한다. 당신의 진리문장이 현실로 나타나도록 돕는다. 예를 들어, 매일 아침 업무 계획을 세우는 습관을 형성하라. 이는 꾸준한 노력으로 이어지게 된다. 결국 당신의 사업성공으로 연결된다. 이러한 일관성은 당신의 확실한 느낌을 더욱 강력하게 만들어준다.

세 번째 이유는 **피드백 루프의 원리** 때문이다. 강화문장을 통해 당신의 행동과 결과를 지속적으로 점검하라. 필요한 경우 당신의 행동을 조정할 수 있다. 이는 당신의 진리문장과 행동이 실제로 원하는 결과를 가져오는지를 확인하는 과정이다. 예를 들어보자. 당신이 정기적으로 예산을 검토하고 조정하는 강화문장을 적었다. 이 문장은 당신의 재정 목표를 이루는 데 필요한 피드백을 제공한다. 이러한 피드백 루프는 당신의 목표를 달성하는 데 필수적인 요소이다.

마지막으로, **강화의 원리** 때문이다. 강화문장은 당신의 확실한 느낌을 강화한다. 강화문장은 확실한 느낌이 현실로 나타날 수 있는 힘을 제공한다. 이는 당신

내면의 확신을 외부로 드러내고, 실제 행동으로 연결하는 과정이다. 예를 들어, 당신이 건강한 생활 습관을 유지하기 위한 구체적인 강화문장을 적었다. 이 문장은 당신의 신념을 강화하고, 그 결과로 당신의 건강을 개선한다. 이러한 강화 과정은 당신의 목표를 달성하는 데 중요한 역할을 한다.

　이와 같은 이유로, 강화문장을 통해 진리문장을 체계화해야 하는 것이다. 체계화는 당신의 확실한 느낌을 구체적이고 실행 가능한 계획으로 전환시키는 강력한 도구이다. 이를 통해 당신은 원하는 목표를 달성할 수 있는 확신 체계를 구축할 수 있다. 또한 지속적인 행동과 피드백을 통해 확실한 느낌의 법칙을 강화할 수 있다. 이 과정은 단순한 신념을 넘어서, 실제로 원하는 결과를 얻기 위한 구체적인 행동 계획을 제공한다. 더 나아가 당신의 목표 달성을 더욱 확실하게 만들어준다.

확신 체계를 구체화하라

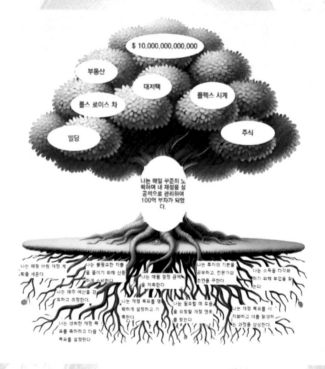

당신이 진심으로 원하는 것이 있다. 그것으로 진리 문장을 만들었다. 그리고 진리미터기로 그 문장을 점검하니 10점 만점이 나왔다. 이제는 이 진리문장을 뿌리처럼 지탱해 주는 강화문장들을 작성해 보자.

주제 1: 돈

진리문장: "나는 매일 꾸준히 노력하여 내 재정을 성공적으로 관리하였다." (진리점수:10)

강화문장들:

"나는 매일 아침 재정 계획을 세운다."

"나는 매주 예산을 검토하고 조정한다."

"나는 불필요한 지출을 줄이기 위해 신중하게 소비한다."

"나는 매월 일정 금액을 저축한다."

"나는 투자의 기본을 공부하고, 전문가의 조언을 구한다."

"나는 소득을 다각화하기 위해 부업을 찾는다."

"나는 재정 목표를 명확하게 설정하고 기록한다."

"나는 필요할 때 도움을 요청할 재정 멘토를 찾는다."

"나는 재정 목표를 시각화하고 이를 달성하는 과정을 상상한다."

"나는 성취한 재정 목표를 축하하고 다음 목표를 설정한다."

주제 2: 건강

진리문장: "나는 건강한 생활 습관을 통해 내 체력을 극대화했다." (진리점수:10)

강화문장들:

"나는 매일 아침 30분씩 운동을 한다."

"나는 충분한 수면을 취하기 위해 매일 같은 시간에 잠자리에 든다."

"나는 균형 잡힌 식단을 유지한다."

"나는 정기적으로 건강 검진을 받는다."

"나는 스트레스를 관리하기 위해 명상과 호흡 운동을 한다."

"나는 물을 충분히 마신다."

"나는 매일 비타민과 영양제를 챙겨 먹는다."

"나는 앉아 있는 시간을 줄이고, 자주 움직인다."

"나는 건강한 체중을 유지하기 위해 체중을 관리한다."

"나는 질병 예방을 위해 정기적으로 손을 씻고, 위생을 철저히 한다."

주제 3: 인간관계

진리문장: "나는 긍정적인 태도로 주변 사람들과의 관계를 개선하였다." (진리점수:10)

강화문장들:

"나는 상대방의 이야기를 경청한다."

"나는 정기적으로 친구와 가족에게 안부 전화를 한다."

"나는 갈등 상황에서 차분하게 대화한다."

"나는 감사의 마음을 표현한다."

"나는 정기적으로 사회적 활동에 참여한다."

"나는 새로운 사람들과의 만남을 주저하지 않는다."

"나는 상대방의 입장에서 생각하려 노력한다."

"나는 긍정적인 피드백을 제공한다."

"나는 시간을 내어 중요한 사람들과 함께 보낸다."

"나는 용서와 이해의 자세를 유지한다."

주제 4: 자기 개발

진리문장: "나는 매일 학습과 성장을 통해 내 역량을 극대화했다." (진리점수:10)

강화문장들:

"나는 매일 최소 30분씩 독서를 한다."

"나는 새로운 기술을 배우기 위해 온라인 강의를 듣는다."

"나는 매주 한 가지 새로운 것을 시도한다."

"나는 멘토와 정기적으로 상담을 한다."

"나는 피드백을 받아들이고 개선점을 찾는다."

"나는 목표를 세우고 이를 달성하기 위한 계획을 작성한다."

"나는 매일 자신의 성과를 기록하고 반성한다."

"나는 강연이나 세미나에 참여하여 새로운 지식을 얻는다."

"나는 자신의 강점과 약점을 분석하여 개발 계획을 세운다."

"나는 성장 마인드셋을 유지하며, 실패를 배움의 기회로 삼는다."

주제 5: 시간 관리

진리문장: "나는 효과적인 시간 관리를 통해 내 생산성을 극대화했다." (진리점수:10)

강화문장들:

"나는 매일 아침 하루 일정을 계획한다."

"나는 가장 중요한 작업을 먼저 수행한다."

"나는 일정한 시간에 휴식을 취하여 집중력을 유지한다."

"나는 목표를 달성하기 위한 구체적인 시간 계획을 세운다."

"나는 시간을 효율적으로 사용하기 위해 방해 요소를 제거한다."

"나는 하루의 끝에 성취한 일을 기록하고 평가한다."

"나는 일의 우선순위를 정하고, 이를 따른다."

"나는 작업을 분할하여 관리 가능한 단위로 나눈다."

"나는 반복적인 일을 자동화하거나 아웃소싱한다."

"나는 매주 시간을 분석하여 개선할 방법을 찾는다."

이렇게 구체화된 강화문장들은 진리문장을 실현하기 위한 구체적인 행동 계획을 제공한다. 이를 통해 당신은 원하는 결과를 얻을 수 있는 확실한 느낌 체계를 구축하게 된다.

강화문장 템플릿

나의 진리문장

_____

_____

_____

나의 강화문장들

_____

_____

_____

_____

_____

_____

_____

_____

_____

_____

3 단계. "키"를 반대로 돌려라:

그림자문장, 약화문장

　지금까지 당신은 진리문장을 어떻게 찾는지 배웠다. 그리고 진리미터기를 활용해서 진리점수를 체크하고 진리를 10점 만점으로 끌어올리는 법을 배웠다. 그런 다음 진리점수를 강화하기 위해서 강화문장을 찾는 방법을 배웠다.

　이제부터는 지금까지 배운 그 방식을 반대로 활용해 보자. 진리미터기를 활용해서 **진리점수가 0점인 "그림자문장"을 찾아라.** 그리고 그림자문장에 힘을 실어주는 **하부의 "약화문장"을 찾아라.** 그림자문장을 찾는 작업도 반드시 필요하고 매우 중요한 과정이다. 당신이 진정으로 원하는 것을 얻기 위해서는 꼭 해야 하는 것이다. 그림자문장은 당신의 목표와 확신에 반대하는 부정적인 생각과 당신을 약하게 만드는 신념을 의미한다. 이러한 그림자문장이 당신을 실재로 잠식하고 뒤에서 잡아 끌고 있다는 사실을 인정해라. 이 사실을 인

식하고, 그것을 극복하는 것이 당신이 원하는 것을 가
장 빨리 가지를 수 있는 지름길이다. 이 과정을 통해
당신의 확실한 느낌의 법칙은 더욱 강화된다. 그리고
균형을 이루어 당신이 성공으로 가는데 넘어지거나 실
패하지 않도록 도와주는 데 필수적이다.

분석심리학의 창시자 칼융(Carl Jung)은 **"당신의 무
의식을 의식화하지 않으면, 그것이 당신의 삶을 지배하
게 될 것이며, 당신은 그것을 운명이라고 부를 것이다."**
라고 말했다.

융의 이 말은 당신이 무의식 속에 있는 부정적인 신
념과 그림자문장을 의식화하는 것이 얼마나 중요한지
강조해 준다. 의식화해서 그것을 극복하는 것이 원하
는 삶을 사는데 중요하다는 것을 강조한다. 당신의 무
의식을 인식하고 그것을 통제함으로써, 당신은 진정으
로 원하는 것을 얻을 수 있다.

나폴레온 힐(Napoleon Hill)은 **"부정적인 생각과
감정은 우리의 성공을 방해하는 가장 큰 장애물이다."**
라고 말했다.

힐의 이 말은 부정적인 생각과 감정이 당신의 목표

달성을 결정적으로 방해할 수 있음을 나타낸다. 그림
자문장을 인식하고, 그것을 극복하는 것은 이러한 장
애물을 제거하는 데 중요한 역할을 한다.

스티븐 코비(Stephen Covey)는 **"균형은 모든 성공
적인 삶의 핵심 요소다. 모든 행동과 생각은 균형을 이
루어야 한다"**고 말했다.

코비의 이 말은 균형의 법칙이 당신의 삶에서 얼마
나 중요한지를 강조한다. 균형을 이루기 위해서는 당
신의 긍정적인 확실한 느낌뿐만 아니라 부정적인 확실
한 느낌도 인식하고 다루어야 한다.

웨인 다이어(Wayne Dyer)는 **"우리의 내면의 대화
가 우리의 삶을 결정한다. 부정적인 대화는 부정적인
결과를, 긍정적인 대화는 긍정적인 결과를 가져온다"**고
말했다.

다이어의 이 말은 당신의 내면의 대화, 즉 그림자문
장이 당신의 삶에 큰 영향을 미칠 수 있음을 시사한다.
이를 인식하고 긍정적으로 변화시키는 것이 중요하다.

디팍 초프라(Deepak Chopra)는 **"우주는 균형과**

조화를 이루는 법칙에 따라 작동한다. 우리의 생각과
행동도 이 법칙에 따라 균형을 이루어야 한다"고 말했
다.

초프라의 이 말은 확실한 느낌의 법칙이 우주의 법
칙이기에 균형의 법칙이 반드시 적용되어야 함을 강조
한다. 당신의 긍정적인 확실한 느낌과 부정적인 확실
한 느낌이 균형을 이룰 때, 당신은 진정으로 원하는 것
을 얻을 수 있다.

이제 진리미터기를 활용하여 각 주제별로 진리점수
0점인 "그림자문장"을 찾아보자. 그리고, 그 하부의
약화문장들을 10개 찾아보자.

주제 1: 돈

그림자문장: "나는 절대 돈을 많이 벌 수 없다." (진리점수: 0점)

약화문장들:

"나는 경제적 기회를 찾을 능력이 없다."

"나는 재정 관리에 항상 실패한다."

"나는 돈을 모을 수 있는 방법을 모른다."

"나는 재정 목표를 설정해도 지키지 못한다."

"나는 돈을 벌기에는 너무 늦었다."

"나는 투자에 실패할 것이다."

"나는 재정적으로 독립할 수 없다."

"나는 부자가 될 자격이 없다."

"나는 재정 문제를 해결할 방법을 모른다."

"나는 항상 빚에 시달릴 것이다."

주제 2: 건강

그림자문장: "나는 절대 건강해질 수 없다." (진리점수: 0점)

약화문장들:

"나는 운동을 꾸준히 할 수 없다."

"나는 건강한 식단을 유지할 수 없다."

"나는 충분한 수면을 취할 수 없다."

"나는 스트레스를 관리할 수 없다."

"나는 건강 검진을 받기 두렵다."

"나는 건강한 습관을 지속할 수 없다."

"나는 체중을 감량할 수 없다."

"나는 면역력을 높일 수 없다."

"나는 질병을 예방할 수 없다."

"나는 건강 문제를 해결할 수 없다."

주제 3: 인간관계

그림자문장: "나는 좋은 인간관계를 맺을 수 없다."
(진리점수: 0점)

약화문장들:

"나는 사람들과 잘 지내지 못한다."

"나는 친구를 사귀는 것이 어렵다."

"나는 가족과의 관계를 개선할 수 없다."

"나는 갈등을 해결할 능력이 없다."

"나는 감사의 마음을 표현할 수 없다."

"나는 사회적 활동에 참여하지 못한다."

"나는 새로운 사람들과 쉽게 친해질 수 없다."

"나는 상대방의 입장에서 생각하지 못한다."

"나는 긍정적인 피드백을 제공할 수 없다."

"나는 중요한 사람들과 시간을 보낼 수 없다."

주제 4: 자기 개발

그림자문장: "나는 자기 개발에 실패할 것이다." (진리점수: 0점)

약화문장들:

"나는 매일 독서를 할 시간이 없다."

"나는 새로운 기술을 배울 수 없다."

"나는 새로운 것을 시도하는 것이 두렵다."

"나는 멘토를 찾을 수 없다."

"나는 피드백을 받아들일 수 없다."

"나는 목표를 세우고 달성할 수 없다."

"나는 자신의 성과를 기록하고 반성하지 않는다."

"나는 강연이나 세미나에 참여할 수 없다."

"나는 강점과 약점을 분석할 수 없다."

"나는 성장 마인드셋을 유지할 수 없다."

주제 5: 시간 관리

그림자문장: "나는 시간을 효율적으로 관리할 수 없다." (진리점수: 0점)

약화문장들:

"나는 하루 일정을 계획할 수 없다."

"나는 중요한 작업을 먼저 수행할 수 없다."

"나는 휴식을 취할 시간을 관리할 수 없다."

"나는 구체적인 시간 계획을 세울 수 없다."

"나는 방해 요소를 제거할 수 없다."

"나는 성취한 일을 기록하고 평가하지 않는다."

"나는 우선순위를 정할 수 없다."

"나는 작업을 분할하여 관리할 수 없다."

"나는 반복적인 일을 자동화할 수 없다."

"나는 시간을 분석하여 개선할 방법을 찾을 수 없다."

　　이렇게 그림자문장을 인식하고, 이를 극복하는 과정
은 당신의 긍정적인 확실한 느낌을 더욱 견고하게 만
든다. 그리고, 확실한 느낌의 법칙을 강화하는 데 중요
한 역할을 한다. 균형의 법칙을 적용하여, 부정적인 확
실한 느낌을 극복하고 긍정적인 확실한 느낌을 강화하
자. 당신은 진정으로 원하는 결과를 얻으며 살 수 있다.

그림자문장 템플릿

나의 그림자문장

_____

_____

_____

나의 약화문장들

_____

_____

_____

_____

_____

_____

_____

_____

_____

_____

_____

_____

_____

_____

4 단계. 키를 빼고 열어라:

행동하라.

모든 준비가 끝났다. 당신은 이제 생각을 멈추고, 일어나 행동하라. 강화문장에 적은 것들 중에 지금 당장 할 수 있는 것을 하라. 순서는 중요하지 않다. 재일 만만해 보이는 것을 잡고 해라. 가장 쉬워 보이는 것을 선택하고, 당장 실행하라. 즉각적인 행동은 즉각적인 결과를 가져온다. 이는 점점 더 큰 목표를 향해 나아가는 데 도움이 된다.

월트 디즈니(Walt Disney)는 **"가장 좋은 방법은 행동하는 것이다. 꿈을 꾸고, 계획을 세우고, 그것을 실현하는 데 가장 중요한 것은 첫걸음을 내딛는 것"**이라고 말했다.

디즈니의 이 말은, 꿈과 계획을 현실로 바꾸기 위해서는 무엇보다도 행동이 중요하다는 것을 강조한다. 작은 첫걸음이 큰 변화를 가져올 수 있다.

세계 최고의 동기부여가 토니 로빈스(Tony Robbins)는 "인생의 변화를 만들기 위해 필요한 것은 결정적인 순간이다. 즉각적인 행동을 통해 우리는 우리의 인생을 새롭게 만들 수 있다"고 말했다.

로빈스의 이 말은, 즉각적인 행동의 중요성을 잘 나타낸다. 한 순간의 결정과 그에 따른 행동이 당신의 인생을 변화시킬 수 있다.

마크 저커버그(Mark Zuckerberg)는 "아이디어는 실행하지 않으면 무의미하다. 실제로 실행에 옮기는 것이 성공의 열쇠다."라고 말했다.

페이스북 창립자인 저커버그의 이 말은 실행의 중요성을 강조하며, 행동이 아이디어를 현실로 만드는 유일한 방법임을 시사한다.

일론 머스크(Elon Musk)는 "무언가를 배우고 싶다면, 즉시 실천하라. 책에서 배운 지식을 바로 적용하고, 시행착오를 겪으며 배우는 것이 가장 빠른 방법이다."라고 말했다.

머스크의 이 말은 실행의 힘을 강조하며, 실천을 통해 배움을 완성하는 방법을 알려준다.

스티븐 코비(Stephen Covey)는 **"작은 행동은 습관을 만들고, 습관은 인격을 형성하며, 인격은 우리의 운명을 결정한다."**고 말했다.

코비의 이 말은 작은 행동의 중요성을 강조하며, 일상적인 작은 행동이 당신 삶 전체에 큰 영향을 미친다는 것을 나타낸다.

이제, 강화문장에서 하나를 선택해서 실행하는 방법을 구체적으로 살펴보자.

예를 들어, 건강한 생활 습관을 목표로 한다면, 강화문장에서 "나는 매일 아침 30분씩 운동을 한다."를 선택할 수 있다. 이 문장을 실행하기 위해서는 먼저 매일 아침 운동 시간을 확보하라. 그리고 운동 계획을 세우고, 이를 실천하면 된다. 작은 시작이지만, 꾸준한 실행을 통해 큰 변화를 이끌어낼 수 있다.

다른 예로, 재정 관리를 목표로 한다면, "나는 매일 아침 재정 계획을 세운다."를 선택할 수 있다. 이 문장을 실행하기 위해서는 매일 아침 일정 시간을 할애하여 재정 상태를 점검하라. 그리고 그날의 재정 계획을 세우는 것이다. 이러한 작은 습관은 장기적으로 큰 재정적 성과를 가져올 수 있다.

인간관계를 개선하려는 목표가 있다면, "나는 정기적으로 친구와 가족에게 안부 전화를 한다."를 선택할수 있다. 이 문장을 실행하기 위해서는 일정한 시간에친구나 가족에게 전화를 걸어 안부를 묻는다. 그리고자연스럽게 대화를 나누는 것이다. 이러한 작은 행동은 관계를 개선하고, 더 깊은 유대감을 형성하는 데 도움이 된다.

이러한 즉각적인 행동은 간단하고 실천 가능한 것들부터 시작한다. 일단 시작하면 점점 더 큰 목표를 향해나아갈 수 있게 된다. 작은 시작은 큰 성과로 이어질수 있다. 이는 당신의 목표를 달성하는 데 중요한 역할을 한다.

미국의 성공한 기업가 마리 포리오(Marie Forleo)는 **"완벽하지 않아도 괜찮다. 시작하라. 개선해 나가면된다"**고 말했다.

포리오의 이 말은 시작의 중요성을 강조하며, 완벽하지 않더라도 작은 시작이 중요하다는 것을 나타낸다.

성공한 기업가이자 세계적인 동기부여가 짐 론(Jim Rohn)은 **"하루의 첫 행동이 그날의 성공을 결정짓는다"**고 말했다.

론의 이 말은 하루를 시작하는 첫 행동의 중요성을 강조하며, 작은 행동이 하루 전체의 성공을 결정짓는다는 것을 시사한다.

세계적인 동기부여가 브라이언 트레이시(Brian Tracy)는 **"목표를 달성하기 위해서는 즉각적인 행동이 필요하다. 오늘 할 수 있는 일을 내일로 미루지 마라"**고 말했다.

트레이시의 이 말은 즉각적인 행동의 중요성을 강조하며, 미루지 않고 행동하는 것이 성공의 키임을 나타낸다.

영국의 버진 그룹 회장인 리처드 브랜슨(Richard Branson)은 **"행동이 모든 것을 변화시킨다. 아이디어는 많지만, 그것을 실현하는 사람은 적다"**고 말했다.

브랜슨의 이 말은 행동의 힘을 강조하며, 아이디어를 현실로 만드는 유일한 방법이 실행임을 나타낸다.

이제, 당신도 강화문장에서 하나를 선택하여 실행해 보자. 작은 행동이 큰 변화를 가져올 수 있다. 지금 당장 할 수 있는 작은 일을 선택하고, 그것을 실천하라. 그러면 당신의 목표는 점점 더 가까워질 것이다. 작은 시작이지만, 꾸준한 실행이 큰 성공을 가져올 것이다.

당신의 키를 사용해 모험을 시작할 시간이다. 처음에는 두렵고 불확실할 수 있다. 첫발을 때기가 쉽지 않다. 그러나 당신이 한 걸음 한 걸음 나아갈 때마다 세상은 더 명확해진다. 그리고 당신의 길은 더 확고해진다. 작은 시작이지만, 그 시작이 당신을 위대한 여정으로 이끈다.

당신은 이제 중대한 결정을 내렸다. 당신은 절대키를 사용해 새로운 세상을 창조할 용기를 가졌다. 당신의 키는 모든 비밀을 풀고, 모든 보물 상자를 열 수 있는 힘을 가지고 있다. 이제 그 힘을 사용해 당신의 꿈을 실현할 시간이다.

이 여정을 통해 당신은 더 강력하고, 지혜롭고, 자신감 넘치는 사람이 된다. 당신의 키는 당신의 미래를 밝게 비춘다. 이 순간, 당신의 마음 속에서 불타오르는 열정을 믿어라. 그리고, 그 열정이 당신을 이끌도록 하라. 당신의 여정은 이제 막 시작되었다. 용기를 내어, 첫 걸음을 내딛어라. **"Let's go on an adventure!"**

ONE KEY POINT

✓ **키홀을 찾아라:** 시작점은 자신이 원하는 것을 뒷받침하는 "진리문장"을 찾는 것이다. 이 문장은 목표를 지지하고, 마음과 행동을 하나로 묶어준다.

✓ **진리미터기로 측정하라:** 진리문장의 진리 점수를 체크하는 도구인 진리미터기를 사용한다. 0 점은 진리와 거리가 멀고, 10 점은 절대 진리를 의미한다.

✓ **강화문장으로 구체화하라:** 100% 확실한 진리문장을 찾아냈다면, 이를 구체화하여 강화문장을 작성한다. 이는 목표 달성을 위한 구체적인 행동 계획을 제공한다.

✓ **그림자문장을 찾아라:** 진리문장과 반대되는 그림자문장을 찾고, 이를 약화시키는 하부 문장을 작성한다. 이는 부정적인 신념을 인식하고 극복하는 데 필수적이다.

✓ **행동으로 옮겨라:** 모든 준비가 끝났다면, 강화문장에 적힌 것들 중 하나를 선택해 즉각적으로 실행하라. 작은 행동이 큰 변화를 가져올 수 있다.

대체불가 2 개의 키링

당신은 지금 현실상황이라는 늪에 빠져 있다. 당신은 이렇게 말한다. "내 지금 상황이 이렇다 저렇다."라고 말이다. 나이의 늪, 능력의 늪, 안전지대의 늪에 빠져 있다. 그러나, 당신이 찾은 이 "절대 키"가 당신이 빠져 있는 그 늪에서 당신을 구해 준다. 당신은 확실한 느낌의 법칙을 지금 당장 활용하기로 결심했다. 이제부터 당신의 모든 상황, 환경, 안전지대는 지금 당장 변한다.

해리포터를 쓴 작가인 J.K. 롤링의 마법 같은 이야기 속으로 들어가 보자. 롤링의 이야기는 그녀의 철저한 절망 속에서 나온 이야기이다. 그녀는 자신을 "완전히 파산하고, 아무런 전망도 없는 미혼모"로 묘사했다. 그러나 그녀는 희망의 불씨를 꺼뜨리지 않았고, 호그와트의 마법 세계를 창조해냈다. 당신도 이와 마찬가지로 자신의 인생에서 마법을 만들어낼 수 있다. 키는 이미 당신 손에 있다. 롤링의 이야기처럼, 당신 인생의 가장 절망적인 순간에도 희망의 빛을 찾는 것이 중요하다.

롤링 자신도 그러한 고통의 시기를 겪었다. 그녀는 **"우리 모두에게는 빛과 어둠이 있다. 중요한 것은 우리가 어떤 행동을 선택하느냐이다."**라고 말했다. 이 말은 당신의 선택이 당신을 정의한다는 사실을 상기시켜 준다. 확실한 느낌의 법칙을 적용하라. 당신의 선택은 이미 당신 인생의 새로운 길을 열었다.

역사상 가장 영향력 있는 인물 중 하나인 알버트 아인슈타인은 **"상상력은 지식보다 중요하다."**라고 말했다.

아인슈타인은 그의 상상력과 확실한 느낌의 법칙으로 새로운 과학적 발견을 이루어 냈다. 그의 상상력은 그를 현실의 한계를 넘어설 수 있게 했다. 당신도 아인슈타인처럼 확실한 느낌의 법칙을 통해 당신의 현실을 넘어서 새로운 가능성을 발견할 수 있다.

또 다른 역사적인 인물인 넬슨 만델라는 **"항상 불가능해 보이던 것이, 결국 이루어질 때까지는 불가능해 보인다."**라고 말했다.

만델라는 그의 확실한 느낌과 끈기로 불가능해 보이던 인종차별 철폐를 이뤄냈다. 만델라의 말은 확실한 느낌의 법칙을 통해 당신의 환경을 바꿀 수 있음을 보여준다.

현대의 영향력 있는 인물 중 하나인 오프라 윈프리는 미디어 거물로서 **"자신의 꿈을 믿는 자가 그 꿈을 이룰 수 있다"**고 말했다.

그녀는 어려운 환경 속에서도 자신의 꿈을 믿고 이를 이루어 냈다. 오프라의 이야기는 확실한 느낌의 법칙이 당신의 삶을 어떻게 변화시킬 수 있는지를 잘 보여준다.

또 다른 현대 인물인 일론 머스크는 **"무언가를 이루고 싶다면, 미친 듯이 그것에 집중하라"**고 말했다.

그는 스페이스X와 테슬라를 통해 그의 꿈을 현실로 만들었다. 머스크의 말은 확실한 느낌의 법칙을 통해 집중하고 노력하면 불가능해 보이는 것도 이룰 수 있음을 시사한다.

당신도 변할 수 있다. 당신의 현재 상황이 힘들고 어렵게 보일 수 있다. 그러나 당신이 손에 쥔 "절대키"는 당신을 구해준다. 확실한 느낌의 법칙을 적용하라. 그리고 당신의 신념을 행동으로 옮겨라. 그러면 모든 것이 변한다. 당신은 이 세상의 주인공이다. 지금 이 순간, 당신의 마음 속에서 불타오르는 열정을 믿고, 그 열정이 당신을 이끌도록 하라.

당신은 이미 충분한 힘을 가지고 있다. 당신의 마음 속에서 불타오르는 열정에 확실한 느낌을 갖아라. 그 열정이 당신을 이끌도록 하라. 당신은 이미 충분한 힘을 가지고 있다. 이 "절대키"를 사용하여, 당신의 현실을 바꾸어라. 당신이 꿈꾸는 미래를 만들어 나가라. 당신의 인생은 당신이 만드는 것이다. 확실한 느낌의 법칙은 당신의 가장 강력한 도구가 된다.

당신은 그 어느 때보다 강력하다. 지금 이 순간부터, 당신은 새로운 삶을 시작한다. 당신의 꿈을 현실로 만들기 위한 여정을 시작하라. 당신의 여정은 이제 막 시작되었다. 용기를 내어, 첫 걸음을 내딛어라.

키링은 2 개다

확실한 느낌의 법칙인 "절대키"는 그 위용에 걸맞은 가장 잘 어울리는 장식품이 있다. 그 장식품은 어느 보석과도 대체할 수 없다. 바로 "대체불가 키링"이다. 이 키링은 두가지다. **이 두가지는 바로 "즐거움"과 "고통"이다.** 확실한 느낌의 법칙을 마음껏 사용하기 위해 "즐거움"과 "고통"을 적극적으로 활용하자. 이 두 강력한 도구들을 정확하게 활용하면, 원하는 결과를 더욱 정확하고 빨리 가질 수 있다. 확실한 느낌의 법칙은 자연의 법칙이며 자연의 섭리에서 출발한다. 이 두 가지 대체불가 도구들도 자연의 섭리인 생존의 법칙에서 시작한다.

즐거움과 고통은 인간을 포함한 모든 생명체의 생존과 생명 유지를 위한 본능적인 메커니즘이다. DNA에 새겨져 있는 불변의 진리이다. 즐거움은 당신을 긍정적인 행동으로 이끈다. 고통은 당신을 위험과 생명의 위협으로부터 멀어지게 한다. 이러한 원리는 당신의 확실한 느낌과 행동에도 동일하게 적용된다. 이러한 이유로 즐거움과 고통을 효과적으로 활용하면, 확실한 느낌의 법칙을 더욱 강력하게 만들 수 있다.

 "쾌락 원칙은 모든 인간 행동의 기초이다. 우리는 고통을 피하고 즐거움을 추구하기 위해 행동한다."_지그문트 프로이트

프로이트의 이론은 당신의 행동이 어떻게 즐거움과 고통에 의해 좌우되는지를 잘 설명해준다. 확실한 느낌의 법칙을 강화하기 위해서는 즐거움과 고통을 정확히 이해하고 활용하는 것이 중요하다.

 "강화와 벌은 행동을 수정하는 가장 강력한 도구이다."_버러스 프레더릭 스키너

스키너의 행동주의 이론은 즐거움과 고통을 통해 행동을 강화하거나 억제할 수 있음을 보여준다. 당신은 이러한 원리를 이용해 당신의 확실한 느낌과 행동을 조정할 수 있다.

"사람들은 잠재적 손실을 피하는 것보다 잠재

적 이익을 추구하는 데 더 민감하다."_다이엘 카
너먼

카너먼의 이 말은 고통을 피하고 즐거움을 추구하는
것이 당신의 결정에 얼마나 큰 영향을 미치는지를 보
여준다. 이러한 심리적 메커니즘을 이해하면, 당신은
확실한 느낌의 법칙을 더 효과적으로 적용할 수 있다.

**"즐거움"은 당신의 확실한 느낌을 강화하는 중요한
요소이다.** 예를 들어, 당신이 목표를 달성할 때 느끼는
기쁨은 당신의 확실한 느낌을 더욱 확고하게 만든다.
이 기쁨은 당신의 뇌에서 도파민을 분비시킨다. 그 결
과 더 많은 긍정적인 행동을 유도한다. 이는 확실한 느
낌의 법칙을 강화하는 데 매우 중요하다.

"고통"은 당신의 행동을 억제한다. 그리고 당신의 잘
못된 신념을 수정하는 데 중요한 역할을 한다. 고통을
피하기 위해 당신은 부정적인 행동을 멈춘다. 그리고
더 나은 선택을 하게 된다. 이는 당신의 확실한 느낌을
긍정적으로 변화시키는 데 도움이 된다. 고통을 효과
적으로 활용하면, 당신은 부정적인 확실한 느낌을 빠
르게 긍정적으로 전환할 수 있다.

"즐거움과 고통은 우리의 삶을 변화시키는 두 가지 가장 강력한 힘이다. 이 두 가지를 잘 활용하면, 우리는 원하는 모든 것을 이룰 수 있다."_토니 로빈스

로빈스의 이 말은 즐거움과 고통이 당신의 삶에 얼마나 큰 영향을 미치는지를 잘 보여준다.

"자연 선택은 즐거움과 고통의 경험을 통해 작용한다."_찰스 다윈

다윈의 이 말은 즐거움과 고통이 생존과 번영을 위한 필수적인 메커니즘임을 강조한다. 당신은 이 원리를 이해하고 활용하여 당신의 신념과 행동을 조정할 수 있다.

"인간은 기본적인 생리적 욕구를 충족시킨 후에야 더 높은 차원의 욕구를 추구한다"_아브라함 머슬로

　　머슬로우의 이 말은 즐거움과 고통이 당신의 동기와
행동에 어떻게 영향을 미치는지를 잘 설명한다. 당신
은 이 원리를 활용하여 확실한 느낌의 법칙을 더욱 효
과적으로 적용할 수 있다.

　　예를 들어, 목표를 달성했을 때 느끼는 기쁨을 상상
해보라. 이는 당신의 신념을 강화하고, 더 많은 긍정적
인 행동을 유도한다. 또한, 실패했을 때 느끼는 고통을
생각해보라. 이는 당신의 행동을 억제하고, 잘못된 신
념을 수정하는 데 도움이 된다.

　　즐거움과 고통을 활용하여, 당신은 당신의 확실한
느낌과 행동을 효과적으로 조정할 수 있다. 즐거움은
당신의 목표를 달성하는 데 필요한 동기부여를 제공한
다. 그리고 고통은 부정적인 행동을 억제하는 역할을
한다. 이를 통해, 당신은 확실한 느낌의 법칙을 더욱
강력하게 만들 수 있다.

“당신의 시간은 한정되어 있다. 다른 사람의 삶
을 사느라 시간을 낭비하지 마라.”_스티브 잡스

　　잡스의 이 말은 당신의 삶에서 즐거움과 고통을 잘

활용하여, 진정으로 원하는 것을 추구하는 것이 얼마
나 중요한지를 강조한다.

"인생은 우리가 만드는 것이다. 우리는 우리의
신념과 행동을 통해 우리의 삶을 변화시킬 수
있다."_오프라 윈프리

윈프리의 이 말은 즐거움과 고통을 통해 당신의 확
실한 느낌과 행동을 조정함으로써, 원하는 삶을 만들
수 있음을 시사한다.

당신도 변할 수 있다. 당신이 손에 쥔 "절대키"는 즐
거움과 고통이라는 "대체불가 키링"를 가지고 있다.
당신은 이 "키링"를 활용하여, 당신의 확실한 느낌과
행동을 효과적으로 조정할 수 있다. 이를 통해 당신은
원하는 모든 것을 이룰 수 있다. 지금 이 순간, 당신의
마음 속에서 불타오르는 열정을 믿어라. 그 열정이 당
신을 이끌도록 하라. 당신은 이미 충분한 힘을 가지고
있다. 이 "절대키"를 사용하여, 당신의 현실을 바꿔라.
당신이 꿈꾸는 미래를 만들어 나가라. 당신의 인생은
당신이 만드는 것이다. 확실한 느낌의 법칙은 당신의

가장 강력한 도구이다.

대체불가 키링: 즐거움

즐거움은 당신이 목표를 달성하는 과정에서 매우 중요한 요소다. 인간은 육체를 통해 외부 정보를 받아들인다. 그리고 다양한 감각을 통해 즐거움을 느낀다. 시각, 청각, 후각, 미각, 촉각과 같은 감각을 통해 당신은 즐거움을 경험한다. 이를 통해 당신은 동기부여를 받을 수 있다.

 "우리의 뇌는 시각적 정보를 통해 세상을 해석하고, 이를 통해 행동을 결정한다."_리처드 그레고리

리처드 그레고리(Richard Gregory)는 영국의 신경과학자이자 인지심리학자다. 그레고리는 그의 이론에서 시각이 당신의 인지 과정에 미치는 영향을 강조했다.

시각적 자극은 당신의 기분과 동기부여에 큰 영향을 미친다.

"음악은 우리의 감정과 행동에 깊은 영향을 미친다."_올리버 색스

올리버 색스(Oliver Sacks)는 영국 출신의 신경학자이자 작가다. 색스는 그의 저서 "뮤지코필리아(Musicophilia)"에서 음악과 소리가 당신의 뇌와 감정에 미치는 영향을 탐구했다.

청각적 자극은 당신이 즐거움을 느끼고, 동기부여를 받는 중요한 역할을 한다고 증명한다.

"냄새는 우리의 기억과 감정에 강력한 영향을 미친다."_레이첼 허츠

레이첼 허츠(Rachel Herz)는 미국의 심리학자이자 후각 전문가다. 허츠는 후각이 당신의 기억과 감정에 미치는 영향을 연구했다.

후각적 자극은 당신이 특정 상황에서 느끼는 즐거움과 연결될 수 있다.

"맛은 우리의 감정과 즐거움에 직접적인 영향을 미친다."_찰스 스펜스

찰스 스펜스(Charles Spence)는 영국의 실험심리학자다. 스펜스는 미각과 감각 경험의 상호작용을 연구했다.

미각적 자극은 당신이 특정 상황에서 느끼는 즐거움을 증대시킬 수 있다.

"촉각은 우리의 감정과 신뢰를 형성하는 데 중요한 역할을 한다."_데이비드 린든

데이비드 린든(David J. Linden)은 미국의 신경과학자다. 린든은 그의 저서 "터치: 손, 심장, 마음의 과학(Touch: The Science of Hand, Heart, and Mind)"에서 촉각이 당신의 감정과 행동에 미치는 영향을 탐구했다.

촉각적 자극은 당신의 감정과 행동에 깊은 영향을 미친다.

즐거움은 목표를 향한 여정에서 매우 중요한 역할을 한다. 즐거움을 유지하는 것은 단순히 목표를 달성하는데 필요한 에너지만을 제공하는 것이 아니다. 그것은 그 과정 자체를 즐겁고 의미 있게 만든다. 위의 권

위 있는 전문가들의 연구와 이론을 보라. 당신은 감각
적 자극이 당신의 감정과 행동에 미치는 영향을 이해
할 수 있다. 이러한 이해를 바탕으로, 당신은 즐거움을
유지하면서 목표를 향해 나아갈 수 있다.

첫번째 대체불가 키링인 즐거움은 "원키"사용법 중
1,2,4단계에 활용된다.

1 단계. 키홀을 찾아라.

즐거움을 유지하면서 키홀을 찾는 것은 매우 중요하
다. 다음은 시각, 청각, 후각, 미각, 촉각의 감각을 활
용하여 진리문장을 작성하는 과정을 즐겁게 만드는 방
법들이다.

시각

시각적 자극을 사용하라: 진리문장을 작성할 때, 당
신이 목표를 시각적으로 표현한 이미지나 사진을 주변
에 놓는다.

예를 들어, 사업 성공을 꿈꾸는 사람이라면 성공적인 기업가의 사진을 책상에 놓는다. 건강한 몸을 목표로 한다면 운동하는 사람들의 이미지를 보며 자극을 받는다. 이러한 시각적 자극은 당신의 목표를 더욱 생생하게 느끼게 해준다. 또한 그 목표를 향한 열정을 불러일으킨다.

긍정적인 환경을 조성하라: 진리문장을 작성할 때, 당신이 가장 좋아하는 공간에서 한다.

밝고 편안한 환경은 당신의 기분을 좋게 만든다. 그 환경은 진리문장을 작성하는 과정을 더욱 즐겁게 만든다. 주변에 긍정적인 영향을 미치는 물건들을 배치한다. 그리고 즐거운 분위기를 조성한다.

청각

음악과 함께 하라: 진리문장을 작성하거나 생각할 때, 당신이 좋아하는 음악을 듣는다. 더불어 즐거운 분위기를 조성한다.

음악은 당신의 기분을 크게 좌우할 수 있다. 긍정적이고 활기찬 음악은 당신의 마음을 더욱 즐겁게 만든다. 음악을 통해 당신의 확실한 느낌을 더욱 강화한다.

자연의 소리를 활용하라: 자연의 소리, 예를 들어 물

흐르는 소리, 새 소리, 바람 소리 등을 들으며 진리문
장을 작성한다. 이러한 소리들은 당신의 마음을 평온
하게 한다. 또한 당신에게 긍정적인 기운을 불어넣어
준다.

후각

향기로운 환경을 조성하라: 진리문장을 작성할 때,
향기로운 향초나 에센셜 오일을 사용한다.

라벤더, 페퍼민트, 시트러스 향 등은 마음을 안정시
키고, 기분을 좋게 만들어 준다. 후각적 자극은 당신의
기분을 좋게 한다. 또한, 집중력을 높이는 데 도움이
된다.

향긋한 음료를 즐기라: 진리문장을 작성할 때, 좋아
하는 향긋한 차나 커피를 마시며 즐거움을 느껴보라.

이러한 음료의 향은 당신의 감각을 자극한다. 또한,
집중력을 높이는 데 도움을 준다.

미각

맛있는 간식을 준비하라: 진리문장을 작성하는 동안,
좋아하는 건강한 간식을 준비한다.

과일, 견과류, 다크 초콜릿 등은 맛있을 뿐만 아니라

에너지를 제공해 준다. 작은 간식은 당신에게 즐거움을 준다. 또한, 작업에 대한 동기부여를 높인다.

즐거운 식사 시간을 계획하라: 진리문장을 작성한 후, 자신에게 맛있는 식사를 보상으로 계획한다.

예를 들어, 좋아하는 레스토랑에서의 식사나 특별한 요리를 준비한다. 이는 목표 달성을 더욱 즐겁게 만들어 준다.

촉각

편안한 촉감을 활용하라: 진리문장을 작성할 때, 부드러운 담요나 편안한 의자에 앉는다.

편안한 촉감은 당신의 기분을 좋게 하고, 집중력을 높이는 데 도움이 된다.

손을 사용하는 활동을 추가하라: 진리문장을 작성한 후, 간단한 손을 사용하는 활동을 한다.

예를 들어, 스트레스 볼을 쥐어보거나, 간단한 손 마사지를 한다. 이러한 활동은 긴장을 풀어주고, 기분을 좋게 만들어 준다.

즐거움은 목표를 향한 여정에서 매우 중요한 역할을 한다. 다양한 감각을 활용하여 즐거움을 유지하라. 그

러면, 진리문장을 작성하는 과정이 더욱 즐겁고 효과
적일 것이다. 각 감각을 활용한 위의 방법들을 적극 활
용하라. 그러면, 당신은 진리문장을 작성하는 과정 자
체를 더욱 풍부하고 의미 있게 만들 수 있다.

2 단계. 키를 집어넣고 돌려라

진리문장을 찾았다면, 이제 그것을 구체화하는 단계
로 넘어간다. 이 과정에서도 즐거움을 유지하는 것이
중요하다. 당신이 찾은 진리문장을 더욱 구체화하고
강화문장들을 작성하라. 그리고 그 문장들이 이루어질
때의 즐거움을 계속 상상하라.

예를 들어, "나는 매일 아침 30분씩 운동을 한다"라
는 문장을 구체화하라. 이때, 운동을 통해 느낄 상쾌함
과 건강해지는 기쁨을 상상해보라.

시각

강화문장을 색상으로 강조하라: 다양한 색상의 펜을
사용하여 강화문장을 작성한다.

색상은 시각적 자극을 주어 문장을 더 생생하게 느끼게 한다. 이는 작업을 더 즐겁고 흥미롭게 만든다.

목표 달성 일정을 시각화하라: 목표 달성 일정을 캘린더나 플래너에 표시한다.

그리고 이것을 눈에 잘 띄는 곳에 둔다. 시각적으로 목표를 확인하면 동기부여가 되고, 과정 자체가 즐거워진다.

청각

오디오북이나 팟캐스트를 들으며 작업하라: 강화문장을 작성할 때, 동기부여를 주는 오디오북이나 팟캐스트를 배경으로 듣는다.

이는 당신의 기분을 좋게 하고, 작업을 더 흥미롭게 만든다.

자연의 소리를 배경으로 활용하라: 강화문장을 작성할 때, 물 흐르는 소리, 새 소리, 바람 소리 등 자연의 소리를 배경으로 깔아 본다.

이러한 소리들은 마음을 평온하게 하고, 집중력을 높이는 데 도움을 준다.

후각

자주 환기하라: 창문을 열어 신선한 공기를 들이마시며 작업한다.

신선한 공기는 기분을 상쾌하게 하고, 작업의 질을 높여 준다.

향기 주머니를 활용하라: 작은 향기 주머니를 책상에 두고, 향기로운 환경에서 강화문장을 작성한다.

이는 후각적 자극을 통해 기분을 좋게 하고, 작업을 더 즐겁게 만든다.

미각

작은 간식 계획을 세워라: 강화문장을 작성하는 동안, 작은 간식을 계획적으로 먹는다.

예를 들어, 15분 작업 후에 건강한 간식을 먹는 식으로 즐거움을 유지한다.

맛있는 음료를 준비하라: 작업 중에 좋아하는 음료를 준비하여 즐긴다.

뜻한 차, 커피, 또는 과일 주스는 당신의 기분을 높이고, 집중력을 향상시킨다.

촉각

촉각적 도구를 사용하라: 강화문장을 작성할 때, 촉감이 좋은 펜이나 노트를 사용한다.

부드럽고 편안한 촉감은 작업을 더 즐겁게 만든다.

스트레칭을 하라: 강화문장을 작성하는 동안, 주기적으로 스트레칭을 하여 몸을 풀어준다.

이는 몸과 마음을 편안하게 하고, 작업의 질을 높이는 데 도움을 준다.

이처럼 즐거움은 목표를 향한 여정에서 매우 중요한 역할을 한다. 다양한 감각을 활용하여 즐거움을 유지하라. 그러면, 강화문장을 작성하는 과정이 더욱 즐겁고 효과적이다. 각 감각을 활용한 위의 방법들을 통해, 당신은 강화문장을 작성하는 과정 자체를 더욱 즐겁고 의미 있게 만든다. 목표 달성의 여정을 즐긴다. 그리고 자신의 발전을 기뻐한다.

4 단계. 키를 빼고 열어라

이제 행동으로 옮길 차례다. 강화문장 중에서 지금 당장 할 수 있는 것을 선택하고, 실행하라. 이 과정에서도 즐거움을 유지하는 것이 중요하다. 당신은 작은 성취감을 느끼고, 그 성취가 당신에게 주는 즐거움을 마음껏 누린다.

예를 들어, "나는 매일 아침 30분씩 운동을 한다."라는 문장을 실행한다고 하자. 이제는 운동 후의 상쾌함과 에너지를 즐기는 것이다.

시각

작은 성취를 시각적으로 기록하라: 작은 성취를 달성할 때마다, 이를 기록하고 표시할 수 있는 캘린더나 플래너를 사용한다.

각 성취를 체크하거나 스티커를 붙이는 것은 시각적으로 당신의 진전을 확인한다, 그 성취감을 더욱 즐겁게 만들어 준다.

시각적 보상을 준비하라: 목표를 달성할 때마다 자신에게 작은 시각적 보상을 준다.

예를 들어, 새로운 책을 사거나, 마음에 드는 예쁜 물건을 구입한다. 이러한 시각적 보상은 당신에게 지속적인 동기부여를 제공한다.

청각

목표 달성 음악 플레이리스트를 만들라: 목표를 달성할 때마다 들을 수 있는 특별한 플레이리스트를 만들어본다.

이러한 음악은 당신의 성취를 축하하고, 즐거움을 극대화하는 데 도움을 준다.

청각적 피드백을 설정하라: 특정 목표를 달성할 때마다 들을 수 있는 소리를 설정한다.

예를 들어, 알림음이나 축하 멘트가 담긴 음성 파일을 설정한다. 그러면, 그 소리를 들을 때마다 성취감을 느낀다.

후각

특별한 향기를 활용하라: 목표를 달성할 때마다 특별한 향기를 활용한다.

예를 들어, 좋아하는 향의 에센셜 오일을 사용하거

나 향초를 피워라. 이러한 향기는 당신의 성취를 기념한다. 그리고 기분을 좋게 만드는 데 도움을 준다.

후각적 보상을 설정하라: 목표를 달성할 때마다 자신에게 특별한 향기로운 보상을 준다.

예를 들어, 좋아하는 꽃을 방에 두는 것이다. 혹은 특별한 향의 로션을 사용하는 것은 후각적 즐거움을 주는 것이다.

미각

맛있는 간식을 준비하라: 목표를 달성할 때마다 자신에게 맛있는 간식을 준비한다.

좋아하는 과일, 초콜릿, 또는 건강한 스낵을 즐기며 성취감을 만끽한다.

특별한 음료를 만들어라: 목표를 달성할 때마다 자신에게 특별한 음료를 만든다.

예를 들어, 자신만의 스무디나 특별한 커피 음료를 만들어 즐기는 것은 미각적 즐거움을 준다.

촉각

촉각적 보상을 사용하라: 목표를 달성할 때마다 자신에게 촉각적 보상을 준다.

예를 들어, 부드러운 담요를 사용하거나, 편안한 마사지를 받는 것은 촉각적 즐거움을 준다.

촉각적 피드백을 제공하라: 목표를 달성할 때마다 손으로 만질 수 있는 특별한 물건을 준비한다.

예를 들어, 스트레스 볼이나 부드러운 인형을 사용하여 성취감을 느낄 수 있다.

기록하고 반추하라

강화문장을 실행할 때, 작은 성취를 기록한다. 그리고 그 진척 상황을 확인한다. 이를 통해 당신이 얼마나 많이 발전했는지를 시각적으로 볼 수 있다. 그리고 이것은 큰 만족감을 줄 것이다. 기록을 통해 성취감을 느끼고, 그 성취가 주는 즐거움을 마음껏 누려라.

축하하고 공유하라

작은 성취라도 기념하고 축하하라. 당신이 이루어 낸 모든 작은 목표를 축하하는 것은 큰 동기부여가 된다. 그리고 작은 목표는 당신에게 지속적인 즐거움을 제공한다. 예를 들어, 목표를 달성했을 때 자신에게 칭찬을 하거나 작은 선물을 주라. 또한, 친구나 가족과 성취를 공유한다. 그리고 그들의 칭찬과 격려를 받는 것은 더욱 큰 즐거움을 주고 있다.

즐거움은 목표를 달성하는 과정에서 강력한 도구다. 당신의 목표를 달성하는 동안 즐거움을 유지하라. 그러면 그 과정이 훨씬 더 쉬워진다. 즐거움을 통해 당신의 확실한 느낌의 법칙을 강화한다. 더욱 강력해진 확실한 느낌을 가지게 된다. 이 세 단계를 통해 당신의 인생을 변화시키고, 진정으로 원하는 것을 이룰 수 있다. 지금 바로 시작하라.

대체불가 키링: 고통

고통은 당신이 목표를 달성하는 과정에서 피할 수 없는 요소다. 고통을 올바르게 활용하면 더 강력한 동기부여를 얻을 수 있다. 그림자문장과 약화문장들을 고통과 연결하라. 이를 통해 당신의 목표 달성 과정을 더욱 강력하게 만들 수 있다. 더불어 당신이 얻은 성공을 쉽게 잃지 않게 된다. 실패를 경험하지 않게 된다.

두번째 대체불가 키링인 고통은 "원키"사용법 중 3단계에 활용된다.

3 단계. "키"를 반대로 돌려라.
그림자문장을 찾아라

그림자문장을 찾아라. 진리문장을 찾은 다음, 그 반대되는 그림자문장을 작성하라. 예를 들어, "나는 매일 꾸준히 노력하여 내 사업을 성공시킬 수 있다"라는 진리문장의 반대 문장을 작성하라. 그것은 "나는 실패할 것이다"라는 그림자문장이다. 그림자문장을 작성함으로써, 당신이 피하고자 하는 고통을 명확히 인식할 수 있다.

시각

그림자문장을 시각적으로 표현하라: 그림자문장을 시각적으로 표현한 이미지를 눈에 잘 띄는 곳에 두라. 예를 들어, 실패한 사업의 이미지를 프린트해서 붙여두거나, 건강을 잃은 사람의 사진을 보며 동기부여를 받으라. 이는 당신이 피하고자 하는 고통을 명확히 인식하게 한다.

고통의 결과를 시각화하라: 그림자문장이 이루어졌을 때의 고통스러운 결과를 시각적으로 상상하라. 예를 들어, 사업 실패로 인해 빈곤에 빠진 모습을 상상한다. 또는 건강을 잃어 병원에 있는 모습을 떠올린다. 이러한 시각적 상상은 당신에게 강력한 동기부여를 제공할 것이다.

청각

고통스러운 경험을 떠올리게 하는 소리를 활용하라: 특정 소리나 음악을 들으며, 당신이 실패했을 때의 고통을 떠올리라. 예를 들어, 슬픈 음악이나 실패를 떠올리게 하는 소리를 배경으로 듣는다. 그러면 당신은 그소 고통을 피하기 위해 더욱 노력하게 된다.

부정적인 피드백을 상상하라: 그림자문장이 현실이 되었을 때 들을 수 있는 부정적인 피드백을 상상하라. 예를 들어, "역시 너는 안돼. 네가 하는 게 다 그렇지." 라는 말을 들었을때, 얼마나 고통스러울지를 상상한다. 그렇게 부정적인 피드백과 고통을 연결한다.

후각

고통의 냄새를 상상하라: 특정 냄새가 고통을 떠올리게 할 수 있다. 예를 들어, 당신이 피하고자 하는 상황을 상상하면서, 평소에 싫어하거나 헛구역질나게 하는 냄새를 활용할 수 있다. 그러면 나중에 그 냄새만으로도 고통을 피하기 위해 노력하는 자신을 발견하게 된다. 이는 당신의 동기부여를 강화하는 데 도움이 된다.

불쾌한 냄새를 활용하라: 고통스러운 상황과 연관된 불쾌한 냄새를 떠올리며, 그 고통을 피하기 위해 더욱

노력하라. 이러한 후각적 자극은 당신의 목표 달성 의
지를 강화할 것이다.

미각

불쾌한 맛을 상상하라: 실패와 고통을 연관시킨 불
쾌한 맛을 상상하라. 예를 들어, 실패의 쓴맛을 상상하
며 실재로 쓰거나 떫은 약초를 맛본다. 나쁜 결과와 고
통을 연결하는 것이다. 이 방법으로 나쁜 결과와 불쾌
한 맛을 연결하는 것이다. 나중에는 이 약초만 맛봐도
나쁜 결과가 떠올라 더 노력하는 당신 자신을 발견하
게 된다. 그래서 그 고통을 피하기 위해 자동적으로 노
력하게 된다. 이는 당신의 동기부여를 높이는 데 도움
을 줄 것이다.

고통스러운 상황과 연관된 맛을 상기하라: 특정 음식
이나 맛이 고통을 떠올리게 한다면, 그 맛을 상기하며
실패를 피하기 위해 자연스럽게 노력하게 된다. 이는
당신의 결단력을 강화할 것이다.

촉각

불편한 촉감을 활용하라: 고통스러운 상황을 떠올리
게 하는 불편한 촉감을 활용하라. 예를 들어, 거친 천

이나 차가운 물체를 만지며 그 고통스러운 상황을 상상한다. 경험하기 싫은 결과와 불편한 촉감을 연결하는 것이다. 그러면, 나중에는 그 불편한 촉감만 느껴도 당신은 더 열심히 노력하게 된다. 이는 당신의 동기부여를 강화할 것이다.

촉각적 자극을 통해 고통을 상기하라: 특정 촉감이 고통을 상기시키는 경우, 그 촉감을 통해 실패를 피하기 위해 노력하라. 이는 당신의 결심을 강화하는 데 도움을 줄 것이다.

이처럼, 고통은 목표를 달성하는 과정에서 강력한 도구가 될 수 있다. 당신이 피하고자 하는 고통을 명확히 인식하고, 그 고통을 피하기 위해 다각도로 노력하면, 목표 달성의 여정이 더욱 강력하고 효과적이게 될 것이다. 그림자문장과 하부 약화문장들을 통해 고통을 동기부여의 도구로 활용하라. 그리고 당신의 인생을 변화시켜라. 그러면 당신은 진정으로 원하는 것을 이룰 수 있다.

약화문장을 찾아라

당신은 지금 그림자문장의 하부 내용인 약화문장들을 작성하는 데 중점을 두고 있다. 진리미터기 점수 0점인 그림자문장을 통해 고통을 명확히 인식하라. 그리고 고통을 피하기 위한 동기를 부여받아라.

시각

고통의 비주얼 타임라인 작성: 당신이 과거에 겪었던 고통스러운 순간들을 시간 순서대로 기록한 타임라인을 만들라. 각 사건의 사진이나 그림을 첨부하여, 그 고통의 순간들을 시각적으로 되새겨라. 이 타임라인을 자주 보며, 다시는 그와 같은 고통을 겪지 않기 위해 노력하라.

거울에 부정적 이미지 부착: 자주 사용하는 거울에 실패나 고통을 상징하는 이미지를 붙여라. 예를 들어, 건강을 잃은 모습이나 실패한 사업의 이미지를 거울에 부착하라. 이를 볼 때마다 그 고통을 피하기 위해 더 열심히 노력하게 될 것이다.

청각

부정적인 자기 대화 녹음: 자신의 목소리로 부정적인 자기 대화를 녹음하라. 예를 들어, "나는 실패자야", "나는 할 수 없어" 같은 말을 녹음하여 반복적으로 들으면, 그 고통을 피하기 위해 더 열심히 노력하게 된다.

부정적인 피드백을 재생: 자신이 과거에 들었던 부정적인 피드백을 녹음하거나, 인터넷에서 부정적인 피드백을 찾아 재생하라. 이를 들을 때마다 그 고통을 피하고자 하는 강한 동기부여를 얻을 수 있다.

후각

불쾌한 향수 사용: 특정 목표를 달성하지 못할 때마다 불쾌한 향수를 사용하라. 예를 들어, 특정 냄새가 불쾌하게 느껴질 때마다 그 목표를 피하기 위해 더 노력하게 될 것이다.

고통을 상기시키는 향초: 고통을 상기시키는 향초를 사용하라. 실패나 좌절을 떠올리게 하는 냄새가 나는 향초를 피우면, 그 향을 맡을 때마다 고통을 피하기 위해 더욱 노력하게 될 것이다.

미각

쓴맛의 음료 준비: 목표를 달성하지 못했을 때마다 쓴맛의 음료를 마셔라. 예를 들어, 쓰고 맛없는 차를 마시면 그 고통을 상기시키고 피하기 위해 더욱 노력하게 될 것이다.

불쾌한 음식 먹기: 목표를 이루지 못했을 때, 평소에 좋아하지 않는 음식을 먹어라. 이를 통해 그 고통을 상기시키고, 목표 달성을 위한 동기부여를 강화할 수 있다.

촉각

고통을 느끼게 하는 물체 사용: 목표를 달성하지 못했을 때마다 고통을 느끼게 하는 물체를 만지라. 예를 들어, 고통을 느끼게 하는 차가운 금속이나 날카로운 물체를 만지면 그 고통을 피하기 위해 더 노력하게 될 것이다.

불편한 옷 착용: 목표를 이루지 못했을 때, 불편한 옷을 착용하라. 이를 통해 그 고통을 상기시키고, 목표 달성을 위한 동기부여를 강화할 수 있다.

고통을 통한 성취의 문을 열어라

당신은 속으로 이런 생각을 한다. "부정적인 것에 대해 너무 많이 생각하는 거 아니야?" 혹은 "이러다가 진짜 고통스러운 상황이 펼쳐지면 어떡하지?"라고 말이다. 그런데, 진짜 재미있는 사실이 있다. 이런 생각을 했다는 것자체가 아직까지 당신이 이 작업을 하지 않고 있다는 증거라는 것이다. 실재로 해 본 사람들은 이 과정이 얼마나 중요한지 알고 있기 때문이다. **이 과정은 나의 과도한 "욕심과 욕망"을 조절해 준다.**

또한 이 과정은 매일 매순간 무의식 중에 긴장하고 힘주고 있던 나를 이완시켜주고, 긴장을 풀어준다. 그래서, 이 과정을 실재로 하면, 당신은 어느 순간 이런 생각을 하고 있게 된다. "내가 원하는 이것을 꼭 얻지 않아도 괜찮아." 혹은 "내 노력이 수포로 돌아가도 괜찮아. 난 이 과정을 통해 크게 성숙했으니까."라고 말이다.

마음이 이완되고 긴장이 풀어지니, **마음의 여유가 찾아오고 생각의 균형이 잡히게 된다.** 마음에 공간이 생기니 그 공간에 더 많은 것을 채울 수 있게 된다. 그러니, 이러한 마음상태가 계속 지속되고 결국은 원하는 것보다 더 큰 성공을 경험하게 된다. 결국은 원하는 시간보다 더 빠르게 모든 것이 이루어 지는 경험을 한 다. 그럼에도 불구하고, 겸손함을 유지하게 된다. 감사 함을 품으며 지낼 수 있게 된다. 그러니 당신이 이룬 모든 것이 쉽게 떠나지 않게 된다. 당신이 얻은 것을 쉽게 놓치지 않게 된다. 당신이 품은 것을 쉽게 잃지 않게 된다.

이처럼, **고통은 목표를 이루는 과정에서 매우 강력한 촉진제가 될 수 있다.** 피하고 싶은 고통을 분명히 인식 하라. 그리고, 그 고통을 피하려는 노력을 기울이면 목 표에 더욱 집중하고 효율적으로 도달할 수 있다. 그림 자문장과 약화문장을 통해 고통을 동기부여로 삼아라. 그러면 당신은 삶을 변화시키고 진정으로 원하는 것을 성취할 수 있다.

고통을 상기시키는 이 작업은 힘들 수 있지만, 이를 통해 더 강력한 동기부여를 얻을 수 있다. 각 약화문장 을 작성할 때마다 자신에게 작은 보상을 설정하라. 예 를 들어, 한 문장을 작성할 때마다 짧은 휴식을 취하거 나, 좋아하는 활동을 하라. 이러한 작은 보상은 당신의 동기부여를 유지하고, 작업을 더 즐겁게 만든다.

대체불가 키링들을 활용하자

벌어진 일들

제임스의 건강 이야기.

제임스는 한때 건강을 유지하려고 애썼지만, 점점 더 무너져가는 식습관과 운동 부족으로 인해 체중이 늘어갔다. 어느 날, 그는 병원에서 받은 건강검진 결과를 보고 큰 충격을 받았다. 의사의 엄중한 경고와 악화된 건강 상태는 그에게 큰 고통을 안겨주었다. 제임스는 더 이상 이렇게 살 수 없다고 결심하며, 인생을 완전히 바꾸기로 마음먹었다.

첫 번째 단계는 매일 아침 일찍 일어나 운동하는 것이었다. 그는 처음에는 힘들었지만, 좋아하는 음악을 들으며 운동을 시작했다. 리듬에 맞춰 몸을 움직이는 동안, 그는 마치 새로운 세계에 들어선 것처럼 느꼈다. 음악은 그의 마음을 가볍게 해주었고, 운동 후 상쾌한 기분과 에너지를 상상하며 동기부여를 받았다. 제임스는 매일 운동을 하면서 점점 더 강한 성취감을 느꼈다.

그러나 운동을 하지 않은 날에는 고통을 상기시키기 위해 과거의 사진들을 활용했다. 그는 건강이 최악이었던 시절의 사진들을 벽에 붙여두고, 이를 볼 때마다 다시는 그런 상태로 돌아가지 않겠다고 다짐했다. 또한, 불편한 운동복을 입고 하루를 보내며, 그 불편함이 그의 결심을 더욱 단단하게 만들어주었다. 이 고통은 그에게 큰 동기부여가 되었다.

점차 제임스는 건강한 식습관을 도입하기 시작했다. 그는 새로운 건강 요리 레시피를 시도하며, 매번 색다른 즐거움을 느꼈다. 요리가 끝난 후에는 자신이 만든 건강한 음식을 사진으로 찍어 소셜 미디어에 공유했다. 친구들과의 긍정적인 상호작용은 그에게 큰 기쁨을 안겨주었다. 이런 소소한 즐거움들이 그의 새로운 식습관을 지속하는 데 큰 도움이 되었다.

하지만 제임스는 과거의 불건강한 식습관을 상기시키기 위해 냉장고 문에 경고 메시지를 붙여두었다. "이 음식들은 나를 파괴할 것이다." 이러한 강력한 메시지는 그가 유혹에 넘어가지 않도록 도와주었다. 나쁜 음식을 피하고 건강한 음식을 선택을 하면서, 그는 고통을 피하기 위해 더욱 강한 의지를 갖게 되었다.

시간이 지나면서 제임스는 체중 감량에 성공하고,

건강을 되찾았다. 그는 달라진 자신의 모습을 거울에
비추어 보며, 이 모든 노력이 헛되지 않았음을 깨달았
다. 건강한 생활을 통해 얻은 활력과 자신감은 그에게
새로운 삶의 에너지를 불어넣었다. 그의 변화는 주변
사람들에게도 큰 영감을 주었고, 많은 사람들이 그의
이야기를 통해 자신을 돌아보게 되었다.

　이제 제임스는 단순히 건강을 유지하는 것을 넘어서,
다른 사람들에게도 건강한 삶의 중요성을 전파하는 데
열정을 쏟고 있다. 그는 자신의 이야기를 통해 많은 사
람들에게 동기부여를 주었다. 그는 즐거움과 고통을
활용한 확실한 느낌의 법칙이 얼마나 강력한지 몸소
증명했다. 제임스의 여정은 그에게만 의미 있는 것이
아니라, 그의 삶을 변화시키고, 더 나아가 많은 이들의
삶에도 긍정적인 영향을 미치게 되었다.

사라의 사업 이야기.

　사라는 작은 온라인 비즈니스를 운영하며 더 큰 성
공을 꿈꿨다. 그러나 초기의 실패와 좌절은 그녀를 자
주 낙담하게 만들었다. 사업이 잘 풀리지 않아 고민하
던 어느 날, 사라는 확실한 느낌의 법칙을 알게 되었다.
그래서 고통과 즐거움을 활용하여 성공을 이루기로 결

심했다. 그녀는 이 두 가지 강력한 도구를 통해 자신의 인생을 바꾸기로 마음먹었다.

먼저, 사라는 자신의 비즈니스 목표를 시각화하기 시작했다. 그녀는 성공적인 비즈니스 여성들의 사진을 책상에 두고, 매일 이를 보며 자신도 그렇게 될 수 있다는 확신을 가졌다. 사진 속의 그들이 마치 그녀를 응원하는 듯 느껴졌고, 이는 사라에게 큰 동기부여가 되었다. 매일 아침, 그녀는 이 사진들을 보며 새로운 하루를 시작했다.

사라는 작은 목표를 설정하고, 이를 달성할 때마다 자신에게 작은 보상을 주었다. 예를 들어, 목표를 달성하면 좋아하는 카페에서 커피를 마시거나, 책을 읽으며 여유를 즐겼다. 이런 작은 보상들은 그녀에게 큰 즐거움을 주었고, 목표를 달성할 때마다 도파민이 분비되는 듯한 기쁨을 느꼈다. 이 작은 성취감이 쌓여 그녀의 비즈니스 여정을 더욱 즐겁게 만들었다.

하지만 사라는 실패의 순간을 상기시키기 위해 과거의 실패를 기록한 다이어리를 자주 읽었다. 다이어리에는 그녀가 겪었던 좌절과 실수들이 상세히 적혀 있었다. 이를 읽을 때마다 그 고통이 떠올랐고, 다시는 그런 고통을 겪지 않겠다는 결심을 다지게 되었다. 실패에서 배운 교훈들을 마음속에 새기며, 사라는 더 나은 전략을 세워 나갔다.

또한, 사라는 고객들의 긍정적인 피드백을 소셜 미디어에 공유하며 큰 즐거움을 느꼈다. 고객들이 만족스러운 후기를 남기고, 그녀의 제품을 사용하는 사진을 올릴 때마다 사라는 큰 성취감을 느꼈다. 이러한 긍정적인 피드백은 그녀에게 더 열심히 일할 수 있는 원동력이 되었다. 매일 아침 그녀는 소셜 미디어를 확인하며 고객들의 반응을 보면서 힘을 얻었다.

반면, 고객의 부정적인 피드백을 받을 때마다 그 고통을 상기시키기 위해 이를 기록해 두었다. 부정적인 피드백은 그녀에게 큰 고통을 안겨주었지만, 사라는 이를 통해 개선점을 찾고 더 나은 서비스를 제공하기 위해 노력했다. 고객들의 불만을 해결하기 위해 밤낮없이 고민하며, 사라는 비즈니스를 더욱 발전시킬 수 있었다. 이러한 과정에서 그녀는 고객 만족도를 크게 향상시킬 수 있었다.

사라의 비즈니스는 점차 성장하기 시작했고, 그녀의 노력은 빛을 발했다. 그녀는 더 이상 실패에 좌절하지 않고, 고통을 통해 배운 교훈과 즐거움을 통해 얻은 성취감을 바탕으로 계속해서 앞으로 나아갔다. 사라의 이야기는 단순히 성공한 비즈니스의 이야기가 아니라, 그녀가 어떻게 고통과 즐거움을 활용해 자신의 꿈을 이루었는지에 대한 강력한 증거가 되었다.

당신은 제임스의 건강 여정과 사라의 비즈니스 성공 이야기를 보았다. **확실한 느낌의 법칙과 대체불가 키링인 즐거움과 고통이 얼마나 강력한 도구가 될 수 있는지를 명확하게 보여준다.** 제임스와 사라는 각자의 목표를 이루기 위해 이 법칙을 활용했다. 그 결과로 놀라운 변화를 경험했다. 이들의 사례는 당신의 삶에 이 법칙을 적용하면 얼마나 강력한 시너지 효과를 발휘할 수 있는지를 증명한다. 이 이야기를 통해 당신도 자신만의 방법으로 고통과 즐거움을 활용해 성공을 이룰 수 있다는 것을 깨달았다.

확실한 느낌의 법칙은 당신이 원하는 것을 이룰 수 있도록 도와주는 강력한 법칙이다. 이 법칙을 통해 당신은 목표를 더욱 명확히 한다. 그리고 그 목표를 향해 나아가는 데 필요한 신념과 확신을 가지게 된다. 제임스와 사라는 이 법칙을 통해 자신들이 이루고자 하는 목표를 구체화했다. 그리고 그 목표를 향해 꾸준히 노력했다. 이 법칙이 없다면 그들은 여전히 좌절과 실패 속에 머물러 있었을 것이다.

즐거움과 고통은 이처럼 확실한 느낌의 법칙을 더욱 강력하게 만들어주는 두 가지 대체불가 키링이다. 즐거움은 당신의 동기부여를 강화하고, 목표를 향해 나아가는 과정을 즐겁게 만들어준다. 제임스는 운동을 즐겁게 만들기 위해 좋아하는 음악을 들었다. 사라는 작은 성취를 축하하며 보상을 받았다. 이 즐거움은 그들이 목표를 달성하는 데 큰 원동력이 되었다. 반면, 고통은 당신이 피하고자 하는 부정적인 결과를 상기시켜준다. 그래서 목표를 향한 결심을 더욱 굳건하게 만들어준다. 제임스는 건강이 악화되었던 과거 사진을 통해 고통을 상기시켰다. 사라는 실패의 기록을 통해 다시는 그런 고통을 겪지 않겠다고 다짐했다.

확실한 느낌의 법칙에 즐거움과 고통을 결합하면, 당신은 더욱 강력한 힘을 발휘할 수 있다. 이 두 가지 요소는 당신의 목표를 향한 여정을 더욱 명확하고 집중되게 만들어준다. 즐거움을 통해 긍정적인 에너지를 얻어라. 고통을 통해 결심을 강화하라. 그러면, 당신은 어떤 어려움도 이겨낼 수 있는 강력한 동기부여를 가지게 된다. 제임스와 사라가 이를 통해 놀라운 성과를 이룬 것처럼, 당신도 이 법칙을 통해 원하는 것을 가장 빠르게 이룰 수 있다.

당신이 찾은 절대키인 확실한 느낌의 법칙이 대체불
가 키링인 즐거움과 고통을 장착한 완벽한 모습을 상
상하라. 이것은 당신이 그 어떤 장애물도 극복하게 하
는 힘을 발휘한다. 그리고 당신이 원하는 목표를 이루
는 데 필요한 절대적인 힘을 발휘한다. 이 키와 두 가
지 키링을 적절히 활용하면, 당신은 인생의 모든 영역
에서 놀라운 변화를 경험할 수 있다. 이제 당신도 이
강력한 도구들을 사용하여 자신의 목표를 성취하라.
그리고 더욱 행복하고 만족스러운 삶을 살아가라.

ONE KEY POINT

✓ 당신은 현실 상황에 빠져 있지만, 절대 키인 확실한 느낌의 법칙과 두 개의 키링인 즐거움과 고통을 활용하라. 지금 당장 확실한 느낌의 법칙과 즐거움과 고통을 적용해 변화를 시작하라.

✓ 절망적인 상황에서도 희망을 잃지 않고 즐거움과 고통을 통해 선택을 명확히 하라. J.K. 롤링과 넬슨 만델라의 사례가 이를 증명한다.

✓ 목표를 달성하는 과정에서 즐거움을 적극적으로 활용하라. 즐거움은 동기부여를 강화하고, 긍정적인 행동을 지속하게 만든다.

✓ 부정적인 결과를 상기시키는 고통을 활용하여 잘못된 행동을 억제하라. 고통은 더 나은 선택을 하게 하고, 목표 달성의 의지를 강화한다.

✓ 진리문장을 찾아 강화하고, 그림자문장과 약화문장을 통해 고통을 인식하라. 즐거움을

통해 작은 성취를 축하하고, 꾸준한 행동으로 큰
변화를 이루어라.

✓　시각, 청각, 후각, 미각, 촉각과 같은 감각을 통해
　대체불가 키링인 즐거움과 고통을 활용한다. 이
　를 통해 경험을 극대화할 수 있다. 그 경험은 당
　신의 확실한 느낌을 더욱 강력하게 지지해 준다.

돈의 원키

돈은 가족이다

제니는 항상 돈과의 관계에서 어려움을 겪어왔다. 매번 돈을 벌고, 또 잃고, 다시 벌기를 반복하며 살았다. 그녀는 돈이 자신에게 왜 이렇게 불안정한지 고민하기 시작했다. 그러던 어느 날, 그녀는 절대키와 대체불가 키링을 찾게 되었다. 그리고 나서 그녀는 "확실한 느낌의 법칙"과 "즐거움과 고통"을 돈과 연결하는 방법을 알게 되었다. 그녀는 이 방법을 통해 돈을 가족처럼 대하기로 결심했다.

제니는 먼저 돈을 어머니처럼 대하기로 했다. 어머니는 언제나 따뜻하고 보호해주는 존재였다. 그녀는 돈도 자신을 보호하고 따뜻하게 해주는 존재로 여겼다. 돈이 들어올 때마다 그녀는 "환영해, 어머니"라고 속으로 말하며 따뜻하게 맞이했다. 돈이 그녀를 떠나야 할 때도, "어머니, 다시 돌아와요"라고 기도하며 돈을 그리워했다.

다음으로, 제니는 돈을 아버지처럼 대하기로 했다. 아버지는 늘 강하고 안정적인 존재였다. 제니는 돈이 안정적이고 강한 존재로서 그녀의 삶을 지탱해주는 힘이 되기를 바랐다. 그녀는 돈이 들어올 때마다 "안녕하세요, 아버지"라고 인사했다. 돈이 나갈 때도 "다시 만나요, 아버지"라고 말하며 돈과의 안정적인 관계를 유지하려고 노력했다.

제니는 돈을 자신의 배우자처럼 대하기도 했다. 배우자는 사랑과 신뢰의 상징이었다. 제니는 돈과의 관계에서도 이러한 사랑과 신뢰를 유지하려고 했다. 그녀는 돈을 사용할 때마다 "사랑해요, 내 배우자"라고 속으로 말하며 돈에 대한 사랑을 표현했다. 돈이 부족할 때도, 그녀는 "곧 다시 만날 거야, 내 사랑"이라고 속삭이며 돈을 신뢰했다.

돈을 자녀처럼 대하는 것도 중요한 부분이었다. 자녀는 항상 사랑과 돌봄이 필요한 존재였다. 제니는 돈을 소중히 여겼고, 돈을 쓸 때마다 "잘 다녀와, 내 아가"라고 말하며 돈을 돌봤다. 돈이 다시 돌아올 때는 "잘 돌아왔구나, 내 아가"라고 말하며 기쁨을 표현했다.

내 반려돈에게 이름을
지어줘라

제니는 돈을 가족처럼 대하기로 결심하였다. 그래서 돈에게 반려견이나 반려묘처럼 애정을 담아 이름을 붙여주었다. 그녀는 돈을 "루카스"라고 부르기로 했다. 제니는 루카스와의 관계를 통해 더 나은 재정적 안정을 이룰 수 있었다. 아래는 제니가 루카스와의 관계에서 경험한 7가지 특성이다.

첫 번째 특성은 사랑이다. 제니는 루카스를 사랑하기로 했다. 돈이 그녀에게 올 때마다 따뜻하게 맞이하고, 떠날 때도 사랑을 담아 보내기로 결심했다. 그녀는 돈이 단순한 물질이 아닌, 사랑을 주고받을 수 있는 존재로 여겼다. 이러한 사랑은 루카스가 그녀의 삶에 더욱 풍요로움을 가져오게 만들었다.

두 번째 특성은 신뢰이다. 제니는 루카스를 믿기로 했다. 그녀는 루카스가 그녀에게 안정적인 힘을 줄 것이라고 확신했다. 돈이 부족할 때도, 그녀는 루카스가 다시 돌아올 것이라고 믿으며 마음의 안정을 유지했다. 이러한 신뢰는 돈이 더욱 꾸준히 그녀의 삶에 들어오게 하는 원동력이 되었다.

세 번째 특성은 돌봄이다. 제니는 루카스를 소중히 여기고, 항상 돈을 잘 돌보았다. 돈을 사용하고 남은 잔돈을 잘 정리하였다. 돈의 흐름을 관리하는 것은 그녀에게 중요한 일이 되었다. 그녀는 루카스가 필요로 하는 것을 제공하였다. 그리고 돈이 더 잘 관리될 수 있도록 신경을 썼다. 이러한 돌봄은 루카스가 그녀의 삶에서 더욱 유용하게 쓰일 수 있게 만들었다.

네 번째 특성은 용서이다. 가족은 때때로 실망을 주지만, 당신은 가족을 용서한다. 제니는 루카스가 부족할 때도 돈을 원망하지 않고, 다시 돌아올 것이라 믿으며 용서했다. 돈이 부족한 상황에서도 그녀는 좌절하지 않고, 다시 돈을 벌 수 있는 기회를 찾았다. 이러한 용서는 그녀가 재정적 어려움을 극복하는 데 큰 도움이 되었다.

다섯 번째 특성은 희생이다. 제니는 가족을 위해 희생하는 마음으로 루카스를 사용했다. 필요할 때 돈을 아끼고, 중요한 것에 투자하는 과정에서 그녀는 희생을 감수했다. 이러한 희생은 그녀의 재정적 목표를 달성하는 데 큰 도움이 되었다. 제니는 루카스를 올바르게 사용함으로써, 더욱 큰 보상을 얻게 되었다.

여섯 번째 특성은 기쁨이다. 제니는 가족과 함께 있을 때 느끼는 기쁨을 루카스와의 관계에서도 느끼려 했다. 돈을 벌고, 사용하고, 저축하는 과정에서 그녀는 기쁨을 찾았다. 작은 성취를 축하하고, 돈이 그녀의 삶에 가져다주는 긍정적인 변화를 함께 기뻐했다. 이러한 기쁨은 루카스와의 관계를 더욱 긍정적으로 만들어 주었다.

일곱 번째 특성은 끈끈한 유대감이다. 제니는 루카스와의 유대감을 강화하기 위해 돈을 사용할 때마다 감사한 마음을 가졌다. 돈이 들어올 때도, 나갈 때도 감사함을 표현했다. 이러한 유대감은 루카스가 그녀의 삶에서 더 중요한 역할을 하게 만들었고, 돈이 끊임없이 흐르는 원동력이 되었다.

제니와 제니의 반려돈인 루카스의 이야기를 통해 당신은 돈을 가족처럼 대하게 되었다. 돈에게 가족의 특성을 적용함으로써 더 나은 재정적 안정을 이룰 수 있음을 알게 된다. 이러한 돈과의 인격적 관계는 단순히 돈을 물질로만 관리하는 것이 아니다. 오히려 돈과의 유대감을 형성하고, 그 유대감을 통해 삶의 풍요로움을 실재로 가져오는 것이다.

돈과 함께 지내는 방식을 찾아라.

당신은 사랑하는 가족이 당신과 함께 어떻게 지내기를 바라는가? 그 바람대로 돈과 함께 지내면 된다.

돈과 함께하는 시간과 활동

대부분의 사람들은 가족과 함께 의미 있는 시간을 보내고 싶어한다. 그리고, 다양한 활동을 통해 가족들과 유대감을 강화하고 싶어한다. 당신도 그러하지 않은가? 이는 함께하는 식사, 휴가, 취미 활동 등을 포함한다. 예를 들어, 당신은 가족과 함께 저녁 식사를 하며 하루 일과를 공유한다. 또한 주말마다 가족 나들이를 가는 것이다. 이러한 활동들은 가족 간의 소통과 이해를 증진시킨다. 더 나아가 가족 구성원 간의 애정을 더욱 깊게 만들어준다.

이처럼 돈과 함께 유사한 관계를 구축할 수 있다. 돈을 단순한 거래 수단이 아닌, 중요한 동반자로 여기고 소중히 다룬다. 예를 들어, 매일 일정 시간을 할애하여 재정 상황을 검토하고, 예산을 세운다. 돈과 대화하며 투자 계획을 수립하는 시간을 가질 수 있다. 이는 돈과의 관계를 강화하고, 더 나은 재정 결정을 내릴 수 있는 기회를 제공한다. 또한, 돈을 사용하여 즐거운 활동을 계획하고, 그 과정에서 얻는 성취감을 만끽할 수 있다.

서로에 대한 지지와 지원

대부분의 사람들은 가족이 자신을 이해하고 지지해주기를 원한다. 이는 어려운 시기에 힘이 되어주고, 성취를 축하해주는 등의 형태로 나타난다. 예를 들어, 중요한 결정을 내릴 때 가족의 조언을 구하거나, 목표를 달성했을 때 함께 기뻐하는 것이다. 이러한 지지와 지원은 개인이 자신의 잠재력을 최대한 발휘할 수 있도록 돕고, 가족 간의 신뢰를 강화한다.

돈과의 관계에서도 상호 지지와 지원이 필요하다.

돈이 당신의 목표를 지원하는 도구뿐만 아니라, 가장 든든한 가족임을 인식하라. 돈이 들어올 때마다 감사하는 마음을 유지하라. 진심으로 감사해라. 중요한 재정 결정을 내릴 때, 돈의 의견을 물어라. 그리고 돈이 당신에게 주는 가능성과 기회를 생각하라. 그리고 긍정적인 태도로 집근해야 한다. 예를 들어, 투자 결정을 내릴 때, 돈이 당신의 재정적 꿈을 이루는 데 어떻게 도움이 될지 생각한다. 그리고 돈과 충분한 대화의 시간을 갖는다. 그 과정을 통해 신중하게 계획을 세우는 것이다. 이러한 태도는 돈이 당신의 삶에서 긍정적인 역할을 하도록 돕고, 재정적인 안정감을 줄 수 있다.

안전하고 편안한 환경

사람들은 가족과 함께 안전하고 편안한 환경에서 지내기를 원한다. 이는 집안의 물리적 안전뿐만 아니라 정서적 안정도 포함된다. 예를 들어, 사람들이 꿈꾸는 것은 집이 깨끗하고 정돈되어 있으며, 가족 구성원 간의 다툼 없이 평화롭게 지내는 것이다. 이러한 환경은 가족이 서로에 대한 배려와 존중을 바탕으로 평온한 일상을 보낼 수 있게 한다. 그리고 안정감을 느끼는 가족 구성원들은 모두가 원하는 삶을 각자의 자리에서 잘 살게 된다.

돈과의 관계도 마찬가지이다. 당신이 돈과의 관계를 안정적이고 편안하게 유지하는 것은 매우 중요하다. 이 관계는 당신의 재정적인 스트레스를 줄여 준다. 그리고, 당신 마음의 평화를 유지하는 데 도움이 된다. 예를 들어, 당신은 재정 관리를 위한 시스템을 튼튼하게 구축한다. 그리고, 돈이 들어오고 나가는 흐름을 명확하게 파악한다. 돈을 관리할 때, 무리한 투자를 피하고, 안전한 재정 관리를 위해 노력한다. 또한, 돈을 사용할 때마다 감사하고 소중한 마음을 갖는다. 그 돈이 어떻게 당신의 삶을 풍요롭게 하는지 인식한다. 이러한 접근은 돈과의 관계를 긍정적으로 유지하게 한다. 그리고 더 나아가 당신의 재정적 안정을 지속적으로 유지하는 데 도움을 준다.

돈과의 관계를 가족같이 하라. 이 삶의 태도는 단순히 재정적인 성공을 넘어, 더 가치 있고 질 좋은 삶을 만드는 데 중요한 요소가 된다. 함께하는 시간과 활동을 통해 돈과의 관계를 강화한다. 돈과 당신이 서로에 대한 지지와 지원을 넘치게 한다. 그러면 자연스럽게 돈이 당신의 목표를 이루는 데 중요한 역할을 하도록 한다. 또한, 안전하고 편안한 환경을 조성하여 돈과의 관계를 안정적으로 유지하라. 이렇게 하면, 돈이 단순한 물질적 자산을 넘어, 당신의 삶을 풍요롭게 하고, 더 나은 미래를 위한 든든한 동반자가 될 것이다.

당신이 찾은 절대키인 "확실한 느낌의 법칙"은 돈이라는 보물 상자를 여는 열쇠가 된다. 그래서 궁극적으로는 당신이 원하는 삶을 살 수 있는 기회를 제공한다. 이 법칙을 통해 돈을 만나고, 그 관계를 깊이 이해하고 발전시키자. 그러면, 당신의 삶은 재정적 풍요와 함께 눈부시게 변할 것이다. 확실한 느낌의 법칙을 통해 돈과의 관계를 개선하라. 그리고, 그 관계에서 얻는 풍요로움을 직접 체험해 보라.

확실한 느낌의 법칙을 활용하면, 돈은 단순한 물질적 자산을 넘어 당신의 삶을 지탱하는 중요한 반려자, 동반자가 된다. 돈이 들어올 때마다 그 순간을 즐기고, 나갈 때에도 긍정적인 마음으로 떠나보내는 과정을 즐겨라. 그러면, 돈은 끊임없이 당신의 삶에 흐르게 된다. 이 과정에서 당신은 돈이 부족할 때도 느끼는 스트레스가 없게 된다. 오히려 그 상황에서 더 많은 돈이 자연스럽게 흘러 들어오는 것을 경험하게 된다. 당신이 원하는 것보다 훨씬 더 많이 들어온다.

돈을 가족처럼 대하는 접근은 돈과의 관계를 깊이 있게 만들어 준다. 사랑과 신뢰, 돌봄과 용서로 돈을 대하며, 돈이 당신의 삶에 긍정적인 영향을 미칠 것이라는 확신을 갖게 된다. 이러한 긍정적인 태도는 돈이 당신의 삶에서 더욱 중요한 역할을 하게 만든다. 그리고, 재정적 목표를 이루는 데 필요한 동기부여를 제공한다. 돈과의 관계가 깊어질수록, 당신에게 더 많은 기회와 가능성이 열리게 된다.

돈과의 관계에서 즐거움과 고통을 활용함으로써, 당신은 재정적인 성공을 더욱 빠르고 효과적으로 이룰 수 있다. 즐거움을 통해 돈을 벌고, 사용하는 과정 자체를 즐기며, 고통을 피하기 위해 더욱 노력하게 된다. 이로 인해, 돈이 당신의 목표를 지원하는 강력한 지원군으로 자리 잡게 된다. 당신은 더 큰 성취를 이루고, 그 성취가 주는 기쁨을 만끽하게 된다.

확실한 느낌의 법칙을 통해 돈을 만난 당신은 원하는 삶을 살아갈 수 있다. 돈이 부족할 때에도 기다릴 줄 알고, 다시 돈을 끌어들이기 위한 노력을 게을리하지 않는다. 또한 들어온 돈을 소중히 다룰 줄 알아서, 돈이 더 이상 당신을 떠나지 않게 한다. 이러한 지속적인 노력과 긍정적인 태도는 당신이 재정적 자유를 이루는 데 큰 도움이 된다. 원하는 삶을 살기 위해 필요한 자원을 얻고, 그 자원을 통해 더 큰 꿈을 이루게 된다.

확실한 느낌의 법칙을 통해 돈과 함께하는 삶은 그야말로 풍요롭고 충만한 삶이다. 돈이 당신의 삶에 끊임없이 흐르며, 당신은 그 돈을 통해 더 많은 경험과 기회를 누리게 된다. 재정적 안정과 풍요로움은 당신의 삶을 더욱 행복하고 의미 있게 만들어준다. 이제, 당신은 확실한 느낌의 법칙을 통해 돈과의 관계를 새롭게 정립하고, 원하는 삶을 실현할 준비가 되었다.

ONE KEY POINT

✓ 제니는 확실한 느낌의 법칙을 통해 돈을 어머니, 아버지, 배우자, 자녀처럼 대하며 사랑과 신뢰, 돌봄을 표현했다. 돈과의 인격적 관계 형성을 통해 재정적 안정을 이룰 수 있다.

✓ 확실한 느낌의 법칙을 통해 돈을 벌고, 사용하는 과정에서 즐거움과 고통을 적극 활용하라. 즐거움은 동기부여를 강화하고, 고통은 잘못된 행동을 억제한다.

✓ 제니는 확실한 느낌의 법칙을 통해 돈을 "루카스"라고 이름 붙이고, 돈과의 관계를 강화했다. 사랑, 신뢰, 돌봄, 용서, 희생, 기쁨, 유대감을 통해 돈과의 긍정적인 관계를 유지했다.

✓ 확실한 느낌의 법칙을 통해 돈을 단순한 거래 수단이 아닌 동반자로 여기고, 재정 상황을 정기적으로 검토하며 돈과 대화하라. 이를 통해

더 나은 재정 결정을 내리고, 재정적 성취를 즐길
수 있다.

✓   확실한 느낌의 법칙을 통해 돈과의 관계를
    안정적이고   편안하게   유지하여   재정적
    스트레스를 줄이고, 마음의 평화를 유지하라.
    튼튼한 재정 관리 시스템을 구축하고, 돈이
    들어오고 나가는 흐름을 명확히 파악하라.

-500 AD

인간관계의 원키

"왜 나이가 들면 들수록 인간관계가 점점 더 어렵게 느껴지지?", "자녀가 클수록 관계 맺기가 어렵다.", "부모와 서먹하게 지낸지 오래다.","사람이 싫다.","어쩌다 우리 부부사이가 이렇게 되었지?" 당신은 살면서 이런 생각을 한번쯤은 해 봤다. 그런데 재미있는 것은 당신만 이런 생각을 하는 것이 아니다. 남녀노소 누구나 같은 고민을 한다. 심지어 2022년에는 세계적인 게임회사 넥슨(NXC)의 창업주이며, 성공신화의 주인공인 재벌 김정주 이사는 불과 54세의 나이에 자살을 했다. 두 딸의 아빠인 그는 끊임없는 친구, 지인들의 배신과 관계악화로 심한 우울증을 앓다가 하와이 저택에서 홀로 생을 마감했다. 수조원대 재벌이 말이다. 도대체 인간관계가 무엇이기에 그 엄청난 성공과 부를 쌓아도 허무하게 생을 마감하게 하는가?

마리아의 가족관계 이야기

여기 한 평범한 여인가 있다. 그녀의 이름은 마리아이다. 마리아는 항상 가족과의 관계에서 어려움을 겪어왔다. 특히, 사춘기에 접어든 딸과의 갈등은 그녀에게 큰 스트레스였다. 매일 반복되는 작은 다툼과 오해는 마리아를 지치게 했다. 그러던 어느 날, 마리아는 "확실한 느낌의 법칙"을 알게 되었고, 신뢰와 소통의 중요성을 깨닫게 되었다. 그녀는 이를 가족 관계에 적용하기로 결심했다.

마리아는 먼저 딸과의 소통을 개선하기로 마음먹었다. 딸과 대화를 나눌 때마다 그녀는 진심으로 경청하려고 노력했다. 마리아는 딸의 말을 끊지 않고 끝까지 듣고, 딸의 감정을 이해하려고 했다. 마리아는 딸에게 자신의 생각을 강요하지 않고, 딸의 의견을 존중하며 대화를 이어갔다. 처음에는 서먹했지만, 딸은 점차 마음을 열기 시작했다.

어느 날, 마리아는 딸과 함께 시간을 보내기 위해 영화관에 가기로 했다. 딸이 좋아하는 영화를 함께 보며, 마리아는 딸과의 유대감을 강화하려고 했다. 영화를 본 후, 마리아는 딸과 영화에 대해 이야기 나누며 딸의 생각과 감정을 공감했다. 이 경험은 두 사람 사이의 벽을 허무는 계기가 되었다.

마리아는 또한 남편과의 관계도 개선하기로 했다. 그녀는 남편에게 자신의 감정을 솔직하게 털어놓고, 남편의 의견을 경청했다. 마리아는 남편과의 소통에서 항상 긍정적인 태도를 유지하며, 서로의 의견을 존중했다. 이를 통해 남편과의 관계도 점차 좋아지기 시작했다.

마리아는 가족과의 신뢰를 쌓기 위해 노력했다. 가족이 함께하는 시간을 소중히 여기며, 주말마다 가족과 함께하는 활동을 계획했다. 피크닉을 가거나 집에서 함께 요리하는 등, 마리아는 가족과의 즐거운 추억을 만들기 위해 애썼다. 이러한 시간들은 가족 간의 신뢰와 유대감을 강화하는 데 큰 도움이 되었다.

점차 마리아의 가족 관계는 크게 개선되었다. 딸과의 갈등은 줄어들었고, 남편과의 소통도 원활해졌다. 가족 모두가 서로를 이해하고 존중하며, 함께하는 시간을 즐기게 되었다. 마리아는 확실한 느낌의 법칙을 통해 신뢰와 소통을 실천하며, 가족 관계에서의 행복을 찾았다.

마리아의 이야기는 확실한 느낌의 법칙이 가족 관계에서도 얼마나 강력한지 보여준다. 신뢰와 소통을 통해 그녀는 가족과의 어려움을 극복하고, 더욱 행복한 가정 생활을 이루게 되었다.

토미의 직장 생활 이야기

토미의 이야기를 들어 보자. 토미는 작은 회사의 직원으로, 항상 직장에서의 인간관계에 어려움을 겪고 있었다. 동료들과의 갈등, 상사와의 소통 부족으로 인해 매일 스트레스를 받으며 출근하곤 했다. 그러던 어느 날, 토미는 "확실한 느낌의 법칙"을 알게 되었다. 그는 신뢰와 소통이 인간관계에서 얼마나 중요한지 깨닫고, 이를 자신의 직장 생활에 적용하기로 결심했다.

먼저, 토미는 동료들과의 관계를 개선하기 위해 진심으로 다가가기로 했다. 그는 매일 아침 출근하면 동료들에게 따뜻하게 인사하며 시작했다. 또한, 동료들이 하는 말을 주의 깊게 경청하고, 그들의 의견을 경청하려고 노력했다. 토미는 사소한 대화에서도 진심을 다해 참여하며, 동료들이 자신의 생각을 표현할 때 적극적으로 공감하고 지지했다.

어느 날, 토미는 팀 프로젝트에서 중요한 역할을 맡게 되었다. 그는 팀원들에게 신뢰를 보여주기 위해 자신의 업무를 철저히 준비하고, 다른 팀원들의 의견을 수렴하며 프로젝트를 진행했다. 프로젝트가 진행될수록, 팀원들은 토미의 진심과 열정을 느꼈고, 그를 더욱 신뢰하게 되었다. 결과적으로, 팀 프로젝트는 성공적으로 마무리되었고, 동료들은 토미에게 감사의 말을 전했다.

토미는 상사와의 소통도 개선하기로 마음먹었다. 그는 상사에게 자신의 생각을 솔직하게 전달하고, 상사의 조언을 귀 기울여 들었다. 특히, 어려운 상황에서도 상사의 피드백을 받아들이고, 이를 바탕으로 자신의 업무 방식을 개선해 나갔다. 어느 날, 토미는 상사에게 새로운 아이디어를 제안하며 적극적으로 소통했다. 상사는 토미의 열정과 창의성을 높이 평가하며, 그의 아이디어를 실행에 옮기기로 결정했다.

시간이 지나면서, 토미의 직장 생활은 크게 변화했다. 동료들과의 관계는 더욱 돈독해졌고, 상사와의 소통도 원활해졌다. 토미는 확실한 느낌의 법칙을 통해 신뢰와 소통의 중요성을 실천하며, 직장에서의 행복을 찾았다. 그는 이제 매일 출근할 때마다 동료들과의 협력과 상사와의 소통을 즐기며, 직장 생활의 만족감을 느꼈다.

토미의 변화는 주변 동료들에게도 긍정적인 영향을 미쳤다. 동료들은 토미를 본받아 서로를 더욱 경청하고, 소통하려는 노력을 기울였다. 직장 내 분위기는 점점 개선되었고, 팀워크도 더욱 강해졌다. 토미는 이러한 변화를 보며, 자신의 결심과 노력이 직장 전체에 긍정적인 영향을 미쳤다는 것에 큰 자부심을 느꼈다.

토미의 이야기는 확실한 느낌의 법칙이 얼마나 강력한지 보여준다. 신뢰와 소통을 통해 그는 직장 생활에서의 어려움을 극복하고, 더욱 행복한 삶을 살게 되었다.

마리아와 토미는 당신과 다르지 않은 평범한 사람들이다. 이들이 인간관계의 어려움을 극복하고 더욱 행복한 삶을 살 수 있었던 이유가 무엇이었나? 똑똑한 당신은 이미 눈치챘을 것이다. 그것은 바로 상대방에 대한 "신뢰"와 "소통"이었다.

인간관계를 위한 두가지
대체불가 키링

대체불가 키링: 신뢰와 소통
그리고 확실한 느낌의 법칙

2024년 지금을 살고 있는 당신은 소통의 부족, 신뢰의 결여, 공감의 부족, 시간 관리의 어려움, 불안정한 감정관리 등의 이유로 인간관계를 힘들어 한다. 또한, 가족, 친구, 연인, 직장, 부부, 사회적, 전문적, 그리고 자기 자신과의 관계 등 복잡한 인간관계망에 얽여서 살아가고 있다. 그러나 이러한 복잡한 모든 것을 통합하면, 결국 당신이 인간관계에서 어려움을 느끼는 근본적인 이유는 단 하나다. 그것은 바로 "신뢰와 소통"의 어려움 때문이다.

신뢰와 소통을 잘 할 수만 있다면, 인간관계라는 보물상자를 열어 더욱 의미 있고 풍요로운 성공한 인생을 살 수 있다. 이 "신뢰와 소통"이라는 도구를 잘 다룰 수 있는 키는 바로 "확실한 느낌의 법칙"이다.

"너 자신을 알라"_소크라테스

소크라테스의 이 주장은 자기 이해와 진실성이 신뢰와 소통의 기초임을 강조한다.

확실한 느낌의 법칙은 자기 자신에 대한 깊은 이해와 확신을 필요로 한다. 자신에 대한 확신은 다른 사람과의 신뢰를 쌓고, 진정성 있는 소통을 가능하게 한다. 소크라테스의 자아 인식은 확실한 느낌의 법칙과 밀접하게 연관된다.

"친구는 제2의 자신이다"_아리스토텔레스

이 말은 진정한 인간관계는 신뢰와 소통을 바탕으로 한다는 것을 의미한다.

확실한 느낌의 법칙은 자신에 대한 확신과 진정성을 바탕으로 한다. 이는 다른 사람에게 신뢰를 주고, 소통을 원활하게 만들어 인간관계를 깊게 한다. 아리스토텔레스의 덕과 친구에 대한 이론은 이 법칙과 밀접하게 연관된다.

"사람은 사회적 동물이다"_토마스 아퀴나스

이 말은 인간이 사회적 관계를 통해 신뢰와 소통을 구축해야 한다는 것을 의미한다.

확실한 느낌의 법칙은 자신과 타인에 대한 신뢰를 바탕으로 한다. 이러한 신뢰는 소통을 원활하게 하여 사회적 관계를 강화한다. 토마스 아퀴나스의 사회적 본성에 대한 주장은 이 법칙과 연관이 깊다.

"신뢰 없이는 진정한 사랑도 없다"_아우구스티누스

이 말은 신뢰가 인간관계의 근본임을 강조한다.

확실한 느낌의 법칙은 자신과 타인에 대한 신뢰를 필요로 한다. 이 신뢰는 깊은 인간관계를 가능하게 하며, 진정한 소통을 촉진한다. 아우구스티누스의 신뢰에 대한 강조는 이 법칙과 밀접하게 연관된다.

"정부는 국민의 신뢰를 바탕으로 존재한다"_존
로크

이 말은 신뢰가 사회 질서의 기초임을 강조한다.

연관성: 확실한 느낌의 법칙은 개인의 신뢰를 바탕
으로 한다. 이 신뢰는 사회적 관계와 질서를 강화하며,
소통을 원활하게 한다. 존 로크의 신뢰와 사회 계약 이
론은 이 법칙과 깊이 연관된다.

"사람은 자유롭게 태어났지만 어디에서나 사슬
에 묶여 있다"_장 자크 루소

이 말은 신뢰와 소통의 결핍이 인간관계를 억압할
수 있음을 의미한다.

확실한 느낌의 법칙은 자유로운 소통과 신뢰를 바탕
으로 한다. 이는 인간관계를 강화하고, 억압된 상태에
서 벗어나게 한다. 루소의 사회 계약 이론은 이 법칙과
밀접하게 연관된다.

"신뢰는 모든 관계의 기본이다"_스티븐 코비

이 말은 신뢰가 인간관계의 핵심 요소임을 강조한다.
확실한 느낌의 법칙은 신뢰를 바탕으로 한다. 이는
개인과 조직의 성공을 이끌며, 소통을 원활하게 한다.
스티븐 코비의 신뢰 강조는 이 법칙과 깊이 연관된다.

> "타인의 입장에서 생각하고 이해하려고 노력하
> 라"_데일 카네기

이 말은 신뢰와 소통의 중요성을 나타낸다.
확실한 느낌의 법칙은 타인을 이해하고 신뢰를 바탕
으로 한다. 이는 소통을 원활하게 하여 인간관계를 개
선한다. 데일 카네기의 인간관계 이론은 이 법칙과 밀
접하게 연관된다.

이들의 가르침은 확실한 느낌의 법칙이 신뢰와 소통
을 통해 어떻게 인간관계를 강화할 수 있는지를 보여
준다. 고대에서 현대에 이르기까지 다양한 사상가들이
강조한 신뢰와 소통의 중요성은 확실한 느낌의 법칙의
실천을 통해 더욱 확고히 된다. 즐거움과 고통이라는
강력한 도구를 활용하여 확실한 느낌의 법칙을 실천하
라. 그러면 당신은 더 깊고 의미 있는 인간관계를 구축

할 수 있다. 이렇게 구축한 인간관계는 당신의 삶을 더욱 풍요롭게 한다.

　확실한 느낌의 법칙은 당신 삶에 실질적인 영향을 준다. 당신이 어떤 목표나 결과에 대해 확실한 느낌을 가질 때, 당신의 뇌와 몸이 그 목표를 이루기 위해 최선을 다하는 상태를 만든다. 이는 당신의 감정과 행동에 큰 영향을 미친다.

　"신뢰"는 확실한 느낌의 법칙의 중요한 구성 요소다. 누군가에 대한 신뢰는 그 사람에 대한 확실한 느낌을 형성한다. 이는 인간관계에서 상대방에 대해 긍정적인 기대와 믿음을 가지게 한다. 예를 들어, 당신이 친구나 동료를 신뢰하면, 그 관계에서 긍정적인 결과를 기대하게 된다. 그리고 당신은 자연스럽게 그에 맞는 행동과 감정을 표현하게 된다. 이는 당신의 인간 관계를 더욱 강화하고, 긍정적인 상호작용을 이끈다.

　"소통"은 확실한 느낌의 법칙을 강화하는 중요한 도구다. 명확하고 열린 소통은 상대방에 대한 당신의 확실한 느낌을 구체화한다. 그리고 상대방도 당신의 의도를 명확히 이해할 수 있게 한다. 당신은 이미 경험했다. 소통이 잘 되면 확실히 오해가 줄어든다. 소통이 잘 되면, 신뢰가 강화되며, 관계가 더욱 깊어진다. 이는 확실한 느낌의 법칙이 효과적으로 작동하게 만드는 환경을 조성한다. 예를 들어, 소통을 통해 상대방의 기대와 요구를 명확히 이해하라. 그리고, 그에 따라 행동하라. 그러면, 상대방은 당신의 진심과 노력을 느끼게 된다. 이는 상호 신뢰와 협력을 강화한다.

인간관계에 "신뢰"와 "소통"이 잘 활용되면 어떠한 일까지 삶에서 경험할 수 있는지 이들의 이야기를 들어보자.

넬슨 만델라 이야기

당신은 이 사람의 이름을 들어봤다. 넬슨 만델라는 인종차별 정책에 반대하는 운동을 이끌며, 남아프리카 공화국의 자유와 평등을 위해 싸웠다. 그는 확실한 느낌의 법칙을 통해 신뢰와 소통의 중요성을 깊이 이해했다. 만델라는 자신의 신념에 따라 행동했고, 이는 많은 사람들에게 큰 감동을 주었다.

감옥에서의 27년 동안, 만델라는 동료 수감자들과의 신뢰를 쌓았다. 그는 그들과의 소통을 통해 서로의 고통을 이해하고, 함께 자유를 향한 길을 모색했다. 만

델라는 항상 동료들에게 자신의 확실한 느낌, 즉 자유
와 평등이 반드시 이루어질 것이라는 신념을 전했다.
이는 동료들에게 큰 희망이 되었다.

만델라가 석방된 후, 그는 남아프리카 공화국의 대
통령이 되었다. 그는 백인과 흑인 모두를 포용하며, 과
거의 상처를 치유하기 위해 노력했다. 만델라는 자신
이 믿는 바를 행동으로 옮기며, 국민들에게 신뢰를 얻
었다. 그는 진심으로 국민들을 이해하고, 그들과의 소
통을 통해 나라를 하나로 통합했다.

마하트마 간디 이야기

마하트마 간디는 인도의 독립 운동을 이끌며 비폭력
저항 운동을 펼쳤다. 그는 확실한 느낌의 법칙을 통해
자신의 신념을 굳게 지켰고, 이를 통해 많은 사람들에
게 영감을 주었다. 간디는 모든 사람을 존중하며, 그들
과의 신뢰를 쌓았다.

간디는 인도의 독립을 위해 평화로운 방법을 선택했
다. 그는 자신이 믿는 바를 행동으로 옮기며, 인도 국
민들의 신뢰를 얻었다. 간디는 늘 국민들과 소통하며,
그들의 고통을 이해하고, 함께 독립을 위한 길을 모색

했다. 그의 신념은 국민들에게 큰 힘이 되었다.

간디의 비폭력 운동은 인도뿐만 아니라 전 세계에 큰 영향을 미쳤다. 그는 자신의 신념과 행동을 통해 많은 사람들에게 평화와 화합의 중요성을 일깨웠다. 간디는 확실한 느낌의 법칙을 통해 자신의 목표를 이루었고, 이는 많은 사람들에게 감동을 주었다.

확실한 느낌의 법칙과

인간관계

지금으로부터 약 2,500~3,000년부터 수많은 인생의 원키 대가들은 인간관계를 잘 하는 지혜를 가르쳐 왔다. 얼마나 어렵고 중요한 것이면, 이렇게까지 원키 대가들이 앞다투어 자신의 지혜를 이 주제에 쏟아 내는가?

그런데 재미있는 것은, 그들의 가르침 안에도 이미 "확실한 느낌의 법칙"이 가득 담겨 있다.

고대 원키대가들의 확실한 느낌의

법칙을 통한 인간관계의 가르침

"진정한 우정은 마음과 마음이 통하는 것에서

시작된다. 서로의 마음을 확실히 이해할 때, 관계는 자연스럽게 깊어진다."_공자(기원전 551년 - 기원전 479년)

공자는 인간관계에서의 진정한 이해와 공감을 강조했다. 이는 확실한 느낌의 법칙이 인간관계에 어떻게 적용될 수 있는지를 보여준다. 서로의 마음을 확실히 이해하고 신뢰하라. 그리고 그것에 확실한 느낌을 갖아라. 그때 비로소 진정한 우정이 형성된다.

 "물이 가장 부드러우면서도 강력한 것처럼, 유연한 태도가 인간관계를 가장 강하게 만든다."_라오쯔 (기원전 6세기경)

라오쯔는 유연하고 부드러운 태도의 중요성을 강조했다. 이는 확실한 느낌의 법칙을 통해 인간관계에서 유연하고 이해심 많은 태도를 유지하는 것이 얼마나 중요한지를 보여준다. 유연한 태도에 대한 확실한 느낌은 인간관계를 더욱 강하게 만든다.

"자기 자신을 알라. 자기 자신에 대한 확신이

있을 때, 타인과의 관계도 명확해진다."_소크라
테스 (기원전 470년 - 기원전 399년)

　소크라테스는 자기 자신에 대한 이해와 확신이 인간
관계의 기초라고 말했다. 자신에 대한 확신을 갖아라.
그리고 그 확실한 느낌을 강화하라. 그러면 타인과의
관계에서도 명확성과 진정성을 유지할 수 있다.

"우리는 반복된 행동을 통해 습관을 만들고, 이
습관은 우리를 형성한다. 이는 인간관계에서도
마찬가지다. 긍정적인 습관이 관계를 강화한
다."_아리스토텔레스 (기원전 384년 - 기원전 322년)

　아리스토텔레스는 인간의 행동과 습관이 우리의 본
질을 형성한다고 말했다. 인간관계에서도 확실한 느낌
의 법칙을 통한 긍정적인 행동과 습관을 반복하라. 그
리고 그 행동과 습관에 확실한 느낌을 유지하라. 그러
면 관계가 강화되고 더 나은 관계를 맺을 수 있다.

"너의 마음 상태는 너의 관계를 결정한다. 긍정
적인 태도로 사람들을 대하면, 그들도 너를 긍

정적으로 대할 것이다."_에픽테토스 (55년 - 135년)

에픽테토스는 우리의 마음 상태가 인간관계에 직접
적인 영향을 미친다고 강조했다. 확실한 느낌의 법칙
을 통해 긍정적인 태도를 유지하라. 그리고 그 태도에
확실한 느낌을 갖아라. 그러면 상대방도 나를 긍정적
으로 대하게 되어 더 좋은 관계를 형성할 수 있다.

이러한 고대 원키 대가들의 지혜는 확실한 느낌의
법칙이 인간관계에 어떻게 적용될 수 있는지를 명확히
보여준다. 이 법칙을 통해 우리는 더 깊고 의미 있는
인간관계를 형성할 수 있다.

중세 원키대가들의 확실한 느낌의
법칙을 통한 인간관계의 가르침

중세의 원키 대가들은 인간관계를 확실한 느낌의 법
칙이 얼마나 깊게 연관이 있는지 다음과 같이 가르치
고 있다.

"사랑은 관계의 기초이며, 사랑은 마음의 확신에서 비롯된다. 확실한 사랑이 없이는 진정한 관계를 형성할 수 없다."_토마스 아퀴나스 (1225년 - 1274년)

토마스 아퀴나스는 사랑을 인간관계의 중심으로 보았다. 그런데 그가 말하는 사랑은 확실한 느낌이 있는 사랑이다. 이 사랑이 인간관계에 얼마나 밀접하게 연결되어 있는지를 가르쳐 준다. 확실한 느낌의 법칙을 통해 진정한 사랑과 관계를 구축할 수 있음을 시사한다.

"지혜는 타인을 이해하는 능력에서 나오며, 이는 마음의 확신에서 비롯된다."_알베르투스 마그누스 (1200년 - 1280년)

알베르투스 마그누스는 지혜가 타인을 이해하는 능력과 직접 관련이 있다고 강조했다. 그런데 이 지혜가 마음의 확신에서 비롯된다는 것이다. 이는 확실한 느낌의 법칙이 인간관계에 어떻게 적용될 수 있는지를

보여준다. 지혜와 이해는 관계를 깊게 만드는 중요한
요소이다.

"사람들 사이의 진정한 연결은 마음의 확신에
서 시작된다. 확실한 믿음이 없다면, 관계는 흔
들릴 수밖에 없다."_마이모니데스 (1135년 - 1204
년)

마이모니데스는 인간관계의 근간이 되는 확실한 민
음의 중요성을 강조했다. 그의 말은 확실한 느낌의 법
칙이 인간관계에서 얼마나 중요한 역할을 하는지를 잘
보여준다.

이러한 중세의 원키 대가들의 가르침은 확실한 느낌
의 법칙이 인간관계에서 얼마나 중요한 역할을 하는지
를 명확히 보여준다. 이를 통해 우리는 더 깊고 의미
있는 인간관계를 형성하고, 유지할 수 있는 방법을 이
해할 수 있다.

현대 원키대가들의 확실한 느낌의

법칙을 통한 인간관계의 가르침

"사랑은 그 자체로 예술이며, 이는 지속적인 학습과 확신을 필요로 한다. 사랑의 기술을 연마함으로써 우리는 진정한 인간관계를 형성할 수 있다."_에리히 프롬 (1900년 - 1980년)

에리히 프롬은 인간관계를 사랑을 기술(The Art of Loving)로 보며, 이는 확실한 느낌을 바탕으로 한 지속적인 노력이 필요하다고 강조했다. 그의 말에 따르면, "사랑은 단순한 감정이 아니라, 지속적인 노력과 헌신이 요구되는 기술이다. 사랑은 상대방을 깊이 이해하고, 존중하며, 책임감 있게 대하는 확실한 마음가짐에서 시작된다.

"우리는 어릴 때부터 형성된 애착 관계를 통해 삶의 안정성을 경험한다. 확실한 애착 관계는 성인이 되어서도 깊은 인간관계를 구축하는 데

핵심 역할을 한다."_존 볼비 (1907년 - 1990년)

볼비는 애착이론(Attachment Theory)을 통해, 애착 관계가 성인의 인간관계 형성에 중요한 영향을 미친다고 주장했다. 그는 "안정적인 애착은 확실한 느낌의 법칙과 일치하며, 이는 사람들 간의 신뢰와 안전을 구축하는 데 필수적이다. 확실한 애착은 우리의 삶에 안정감과 연속성을 제공한다."고 말한다. 당신은 어려서 부모와의 확실한 애착관계안에서 안정감을 찾는다. 자라면서는 친구, 애인과의 애착관계에서 인간관계의 안정감을 유지한다. 어른이 되어서는 내 배우자와 자녀와의 확실한 애착관계에서 안정감을 갖는다.

"긍정적인 감정과 확실한 마음가짐은 우리의 삶을 풍요롭게 하고, 더 깊고 의미 있는 인간관계를 형성하는 데 기여한다. 긍정 심리학은 확실한 느낌의 법칙을 통해 개인의 성장과 관계의 성장을 이끌어낸다."_마틴 셀리그만 (1942년 - 현재)

셀리그만은 "긍정 심리학 (Positive Psychology)"

에서 긍정적인 감정과 강점이 개인의 행복과 인간관계에 중요한 영향을 미친다고 주장했다. 그는 "긍정적인 마음가짐은 확실한 느낌의 법칙과 일치하며, 이는 우리 삶의 모든 측면에서 긍정적인 변화를 이끌어낸다. 확실한 긍정적 감정은 인간관계를 강화하고, 상호 신뢰를 증진시킨다."고 말한다. 사실 긍정적인 감정의 시작도 그 유지도 결국은 그 사람과의 관계에 대한 확실한 느낌에서 시작된다.

이러한 가르침들은 확실한 느낌의 법칙이 인간관계에서 어떻게 긍정적인 변화를 일으킬 수 있는지를 명확히 설명해준다. 이들은 모두 인간관계에서 확신과 긍정적인 마음가짐의 중요성을 강조하며, 이를 통해 우리는 더 깊고 의미 있는 관계를 형성할 수 있다.

ONE KEY POINT

✓ 인간관계의 핵심은 신뢰와 소통이다. 확실한
   느낌의 법칙을 통해 신뢰와 소통을 강화하면, 더
   깊고 의미 있는 관계를 형성할 수 있다.

✓ 마리아는 확실한 느낌의 법칙을 통해 딸과
   남편과의 소통과 신뢰를 회복했다. 이는 가족
   관계를 개선하고 행복한 가정을 이루는 데 큰
   도움이 되었다.

✓ 토미는 확실한 느낌의 법칙을 통해 직장
   동료들과의 신뢰와 소통을 강화했다. 이로 인해
   직장 생활이 크게 개선되고, 팀워크와 협력이
   향상되었다.

✓ 소크라테스, 공자, 아퀴나스 등은 확실한 느낌의
   법칙을 통해 인간관계에서 신뢰와 소통의
   중요성을 강조했다. 이들의 지혜는 현대에도
   유효하며, 인간관계를 강화하는 데 큰 도움이
   된다.

✓ 에리히 프롬, 존 볼비, 마틴 셀리그만 등의 현대 심리학자들은 확실한 느낌의 법칙을 통해 긍정적인 감정과 애착 관계가 인간관계를 강화한다고 주장했다. 이를 통해 우리는 더 풍요롭고 안정된 인간관계를 형성할 수 있다.

건강의 원키

리사의 질병 극복 이야기

리사는 평범한 주부이자 두 아이의 어머니였다. 어느 날, 그녀는 갑작스러운 통증과 피로를 느끼기 시작했다. 병원을 찾은 결과, 그녀는 만성 질환인 루푸스 진단을 받았다. 이 소식은 리사에게 큰 충격을 주었고, 그녀는 절망감에 빠졌다. 가족의 행복을 위해 헌신해 왔던 리사는 이제 자신의 병으로 인해 모든 것이 무너지는 듯했다.

리사는 처음에는 병을 받아들이기 힘들어했다. 그녀는 매일 아침 일어나기조차 어려웠고, 아이들에게 해주고 싶은 많은 것들을 할 수 없었다. 하지만 어느 날, 그녀는 우연히 한 친구로부터 "확실한 느낌의 법칙"에 대해 들었다. 친구는 리사에게 긍정적인 마음가짐과 확실한 느낌이 얼마나 중요한지 설명해주며, 이를 통해 건강을 되찾을 수 있다고 말했다.

리사는 처음에는 회의적이었다. 그러나 병에 대한 절망감과 무력감에서 벗어나고 싶은 마음에, 그녀는 확실한 느낌의 법칙을 시도해보기로 결심했다. 매일 아침, 그녀는 일어나면서 스스로에게 "나는 건강해지고 있다"는 확신의 말을 되뇌었다. 그리고 그 확실한 느낌을 계속 느꼈다. 거울을 보며 자신의 눈을 바라보고, 자신에게 긍정적인 메시지를 전했다. "내 몸은 매일 회복되고 있어."

시간이 지나면서, 리사는 자신의 몸에 변화가 일어나기 시작하는 것을 느꼈다. 그녀는 더 이상 아침에 일어나기가 두렵지 않았다. 오히려 설레기 시작했다. 그녀는 작은 성취에도 기쁨을 느끼기 시작했다. 아이들과 함께하는 시간이 늘어나면서, 그녀는 아이들과의 소중한 순간을 더욱 즐기게 되었다. 이러한 작은 변화들이 그녀에게 큰 희망을 주었다.

리사는 또한 확실한 느낌의 법칙을 실천하면서 즐거움을 찾는 방법을 배웠다. 그녀는 매일 30분씩 좋아하는 음악을 들으며 산책을 나갔다. 자연 속에서 느끼는 신선한 공기와 음악의 리듬은 그녀에게 큰 힘이 되었다. 리사는 자신의 건강을 위해 할 수 있는 모든 작은 일들을 긍정적인 마음가짐으로 실천했다.

하지만 고통의 순간도 있었다. 리사는 가끔씩 증상이 악화될 때마다 낙담하기도 했다. 그러나 그녀는 친구와 가족의 지지를 받으며 다시 일어섰다. 그녀는 병에 굴복하지 않기로 결심했다. "나는 이겨낼 수 있다"는 확신이 그녀를 다시 일어서게 했다. 그녀는 고통을 극복하고자 노력했고, 그 과정에서 더욱 강해졌다.

리사의 회복 과정은 단순히 신체적인 것에 그치지 않았다. 그녀는 정신적으로도 큰 변화를 겪었다. 긍정적인 확신과 마음가짐은 그녀의 삶 전반에 큰 영향을 미쳤다. 리사는 가족과의 관계가 더욱 깊어 졌고, 친구들과의 유대도 강해졌다. 그녀는 자신의 경험을 다른 사람들과 나누며, 그들에게도 희망을 주고 싶었다.

리사의 이야기는 많은 사람들에게 영감을 주었다. 그녀의 긍정적인 마음가짐과 확실한 느낌의 법칙 실천은 그녀를 건강하게 만들었다. 리사는 이제 더 이상 병에 굴복하지 않았다. 그녀는 자신의 확실한 느낌을 믿었고, 그 믿음이 현실로 이루어졌다. 그녀는 자신의 경험을 통해, 확실한 느낌의 법칙이 얼마나 강력한 힘을 가질 수 있는지 증명하였다.

리사의 이야기를 들은 많은 사람들이 그녀의 경험에 공감하며, 자신도 확실한 느낌의 법칙을 배워보고자

했다. 그들은 리사의 회복 이야기를 통해 자신도 병을
이겨내고 건강해질 수 있다는 희망을 갖게 되었다. 리
사는 그들에게 말한다. "긍정적인 확신과 믿음이 당신
의 삶을 변화시킬 수 있어요. 나도 해냈으니, 당신도
할 수 있어요."

리사의 이야기는 확실한 느낌의 법칙이 단순한 이론
이 아니라, 실제로 적용되어 큰 변화를 가져올 수 있음
을 보여준다. 그녀의 회복은 단순한 기적이 아니라, 긍
정적인 마음가짐과 확신이 만들어낸 결과였다. 이제
당신도 리사의 이야기를 통해 희망을 얻어라. 그리고
자신의 삶에 확실한 느낌의 법칙을 적용해보라. 건강
과 행복이 당신을 기다리고 있다.

앤의 장수 비결 이야기

앤은 항상 활기차고 긍정적인 삶을 살았다. 그녀의 비결은 "확실한 느낌의 법칙"이었다. 앤은 어린 시절부터 긍정적인 마음가짐과 확신의 중요성을 깨달았다. 그녀의 할머니가 항상 긍정적인 말을 하며 자신의 확실한 느낌을 믿으라고 가르쳤기 때문이다. 앤은 이 가르침을 평생에 걸쳐 실천하며 살았다.

50세가 되었을 때, 앤은 친구들로부터 노화에 대한 걱정을 듣기 시작했다. 친구들은 주름과 건강 문제로 고민하고 있었지만, 앤은 달랐다. 그녀는 "나는 100세 넘게 젊고 건강할 거야"라는 확실한 느낌을 마음에 새기며 살았다. 매일 아침, 거울을 보며 스스로에게 "나는 건강하고 아름다워"라고 말했다.

앤은 확실한 느낌의 법칙을 일상 생활에 녹여냈다. 그녀는 매일 아침 긍정적인 확신의 말을 되뇌며 명상으로 하루를 시작했다. 명상 후에는 자연 속을 산책하며 신선한 공기를 마셨다. 이러한 일상적인 루틴은 앤에게 큰 기쁨을 주었고, 그녀의 몸과 마음을 젊게 유지하는 데 도움을 주었다.

시간이 흐르면서, 앤은 80세가 되었지만 여전히 활

기차고 건강했다. 그녀는 건강한 식습관과 운동을 유지하며, 새로운 것에 도전하는 것을 두려워하지 않았다. 앤은 친구들과 함께 요가를 시작했고, 그림 그리기와 같은 새로운 취미도 즐겼다. 이 모든 것은 그녀의 삶을 더욱 풍요롭게 만들었다.

90세가 되었을 때, 앤의 건강 비결에 대해 궁금해하는 사람들이 많아졌다. 그녀는 웃으며 말했다. "확실한 느낌의 법칙을 믿고 실천하는 것이 중요해요. 나는 항상 내 몸이 젊고 건강하다고 믿고 있어요. 이 믿음이 나를 여기까지 오게 한 거죠." 사람들은 앤의 말에 감명을 받았고, 그들도 자신의 삶에 긍정적인 변화를 시도해보기로 했다.

앤의 100번째 생일이 다가오자, 그녀의 가족과 친구들은 큰 축하 행사를 준비했다. 앤은 여전히 밝고 에너지 넘치는 모습으로 그들을 맞이했다. 그녀는 무대에 올라 감사의 인사를 전하며 말했다. "확실한 느낌의 법칙은 제 삶을 바꿨습니다. 여러분도 긍정적인 마음가짐과 확신을 가지세요. 그것이 여러분을 더 오래, 더 건강하게 살게 할 것입니다."

앤의 이야기는 많은 사람들에게 영감을 주었다. 그녀의 긍정적인 마음가짐과 확신의 힘은 노화를 늦추고,

건강한 삶을 유지하는 데 큰 영향을 미쳤다. 사람들은 앤의 이야기를 들으며, 자신도 확실한 느낌의 법칙을 통해 더 나은 삶을 살 수 있다는 희망을 가졌다. 앤은 자신의 경험을 나누며, 더 많은 사람들이 이 법칙을 실천하도록 격려했다.

앤은 105세가 되어도 여전히 건강하고 활기찼다. 그녀는 매일 아침 "나는 오늘도 젊고 건강하다"는 확신의 말을 잊지 않았다. 이러한 긍정적인 마음가짐은 그녀의 삶에 지속적인 활력을 불어넣었다. 앤의 삶은 그녀의 주변 사람들에게도 큰 영향을 미쳤다. 많은 이들이 앤의 비결을 따라하며, 자신의 삶에 긍정적인 변화를 가져왔다.

앤의 이야기는 우리에게 중요한 교훈을 준다. 확실한 느낌의 법칙은 단순한 이론이 아니라, 실제로 우리의 삶을 변화시키는 강력한 도구다. 앤이 보여준 것처럼, 긍정적인 마음가짐과 확신은 우리의 건강과 삶의 질을 크게 향상시킬 수 있다. 이제 여러분도 자신의 삶에 확실한 느낌의 법칙을 적용해보라.

앤의 이야기는 여러분에게 희망을 준다. 긍정적인 확신과 마음가짐을 통해, 여러분도 노화를 늦추고 더 건강하고 활기찬 삶을 살 수 있다. 앤의 경험을 바탕으로, 확실한 느낌의 법칙을 실천해보라. 여러분의 인생은 분명히 긍정적으로 변화할 것이다. 지금 바로 시작하라, 여러분의 건강과 행복이 기다리고 있다.

의학과 과학이 답한다.

"이거 지어낸 이야기 아니야?", "우연히 그렇게 된 것 아니야?" "몇 만분의 1로 그렇게 되었겠지?", "이미 죽을 병에 걸린 사람에게 효과가 있겠어?"라는 의심이 당신의 머릿속을 여러 번 스쳐지나 갔다. 이 의문들에 권위있고 저명한 의학자들과 과학자들이 대답한다.

 "긍정적인 신념과 확신은 면역 체계를 강화시키며, 이는 암과 같은 질병을 극복하는 데 중요한 역할을 합니다."_버니시걸박사

버니시걸박사는 미국의 외과 의사이자 작가로, 환자들이 긍정적인 신념과 확신을 통해 암을 극복할 수 있다는 연구로 유명하다. 그의 연구는 확실한 느낌의 법

칙이 질병 치료에 미치는 영향을 명확히 증명해준다.

시걸은 '사랑, 의학 그리고 기적'이라는 책에서 환자들이 긍정적인 생각과 신념을 가지면 면역 체계가 강화되어 암 치료에 큰 도움이 된다고 주장했다. 그는 실제로 환자들이 긍정적인 확실한 느낌을 가질 때, 생존율이 높아지는 사례를 다수 보고했다.

시걸박사는 암 환자들을 대상으로 긍정적인 신념이 생존율에 미치는 영향을 연구했다. 그는 환자들이 긍정적인 생각과 확신을 가질 때 면역 체계가 강화되어 생존율이 높아짐을 발견했다. 이 연구는 확실한 느낌의 법칙이 질병 치료에 큰 도움이 될 수 있음을 보여준다.

"긍정적인 신념과 생활 방식의 변화는 심혈관 건강을 개선하고, 질병을 예방하는 데 중요한 역할을 합니다."_딘 오니쉬 박사

딘 오니쉬 박사는 미국의 의사이자 연구자로, 생활 방식이 질병 예방과 치료에 미치는 영향을 연구했다. 그의 연구는 확실한 느낌의 법칙이 심혈관 질환에 미치는 긍정적인 영향을 설명한다.

오니쉬는 심장 질환 환자들이 식단, 운동, 스트레스 관리, 사회적 지원을 포함한 종합적인 생활 방식을 채택하면, 심장 건강이 크게 개선될 수 있음을 증명했다. 특히, 환자들이 긍정적인 마음가짐과 확신을 가질 때 치료 효과가 더욱 높아졌다.

오니쉬 박사는 심장 질환 환자들을 대상으로 긍정적인 생활 방식 변화가 건강에 미치는 영향을 연구했다. 그는 환자들이 긍정적인 마음가짐과 생활 방식 변화를 통해 심장 건강이 크게 개선됨을 발견했다. 이는 확실한 느낌의 법칙이 질병 예방에 중요한 역할을 할 수 있음을 시사한다.

확실한 느낌의 법칙은 질병 예방과 치료에 깊은 영향을 미친다. 시걸 박사의 암 연구, 오니쉬 박사의 심장 질환 연구는 긍정적인 신념과 확실한 느낌이 신체적 건강을 증진시킬 수 있음을 보여준다. 이 학자들의 연구는 질병을 예방하고 치료하는 데 있어 확실한 느낌의 법칙이 얼마나 중요한 역할을 하는지 이해하는 데 큰 도움을 준다. 이러한 법칙을 일상 생활에 적용하면, 우리는 더 건강하고 질병에 강한 삶을 살 수 있다.

정말 노화방지에 확실한 느낌의 법칙이 효과가 있는가?

당연히 있다. "확실한 느낌의 법칙"은 노화 방지와 관련된 연구에서도 중요한 역할을 한다. 여러 저명한 의학계 학자들이 이를 연구하고 증명해왔다.

"우리의 마음가짐과 신념은 우리의 신체적 상태에 직접적인 영향을 미칩니다. 긍정적인 확신은 신체적 노화를 늦출 수 있는 강력한 도구입니다."_엘렌 랭거 박사

엘렌 랭거 박사는 하버드 대학교 심리학 교수로, 그녀의 연구는 마음가짐과 신념이 신체적 노화에 미치는 영향을 다룬다.

랭거는 '역행 노화 실험'을 통해 긍정적인 마음가짐과 젊음을 유지하려는 확실한 느낌이 실제로 신체적 노화를 늦출 수 있음을 발견했다. 실험에서는 노인들이 젊은 시절의 환경에서 생활하며, 그 시절로 돌아간 것처럼 행동했을 때, 신체적 기능과 인지 기능이 향상됨을 보였다.

랭거 박사의 실험에서는 노인들이 자신의 젊은 시절
의 환경에서 생활하게 했다. 또한 그때 그 시절로 돌아
간 것처럼 행동하도록 지속적으로 동기부여를 했다.
그 결과 대부분의 노인들이 신체적 기능과 인지 기능
이 매우 월등하게 향상됨을 보였다. 이는 긍정적인 신
념이 신체적 노화를 늦출 수 있음을 증명한다.

"우리의 신념과 마음 상태는 세포 수준에서 신
체의 건강과 노화 과정에 영향을 미칩니다. 긍
정적인 마음가짐은 신체의 자연 치유력을 증가
시킵니다."_디팩 초프라 박사

디팩 초프라 박사는 인도 출신의 의사이자 대체 의
학 전문가로, 마음-몸-영혼의 연결을 강조하는 연구로
유명하다.

초프라는 그의 책 '완전한 건강'에서 긍정적인 신념
과 명상이 노화 방지에 중요한 역할을 한다고 주장했
다. 그는 스트레스가 신체에 미치는 영향을 줄이고, 세
포의 재생을 촉진하는 방법으로 명상과 긍정적인 사고
를 권장했다.

초프라 박사는 스트레스가 신체에 미치는 영향을 줄

이고, 세포의 재생을 촉진하는 방법으로 명상과 긍정적인 사고를 권장했다. 이는 긍정적인 신념이 신체의 자연 치유력을 증가시키며, 노화 방지에 중요한 역할을 할 수 있음을 시사한다.

"우리의 신념은 세포 수준에서 생물학적 반응을 일으키며, 이는 신체의 건강과 노화 속도에 중요한 영향을 미칩니다."_브루스 립톤 박사

브루스 립톤 박사는 미국의 세포 생물학자로, 그의 연구는 신념과 세포 생물학의 상관관계를 다룬다.

립톤은 그의 책 "믿음의 생물학"에서 세포가 환경 신호와 확실한 느낌에 반응하는 방식을 설명했다. 그는 긍정적인 확실한 느낌이 유전자 발현에 영향을 미쳐, 신체의 건강과 노화 과정을 변화시킬 수 있음을 발견했다.

립톤 박사의 연구는 세포가 환경 신호와 확실한 느낌에 반응하는 방식을 설명하였다. 긍정적인 확실한 느낌이 유전자 발현에 영향을 미쳐 신체의 건강과 노화 과정을 변화시킬 수 있음을 발견했다. 이는 확실한 느낌의 법칙이 세포 수준에서 신체적 노화를 늦출 수

있음을 보여준다.

확실한 느낌의 법칙은 개인이 특정 목표나 결과에 대해 확고한 신념과 확실한 느낌을 가질 때, 그 목표가 현실로 이루어진다는 개념을 중심으로 한다. 이 법칙은 건강과 직접적으로 연관되어 있으며, 여러 저명한 의학계 학자들이 이를 연구하고 증명했다.

"이완 반응은 명상이나 반복적인 기도의 형태로, 몸의 자율신경계를 안정시키고 스트레스 호르몬을 감소시킵니다. 이는 건강을 유지하는 데 중요한 역할을 합니다."_허버트 벤슨 박사

허버트 벤슨 박사는 미국의 심장 전문의로, 하버드 의과대학의 교수이다. 그는 스트레스 관리와 이완 반응에 대한 연구로 유명하다. 그의 연구는 확실한 느낌의 법칙이 건강에 미치는 영향을 명확히 증명해준다.

벤슨은 '이완 반응(The Relaxation Response)'을 통해 신체의 자율신경계를 조절하고 스트레스를 줄일 수 있다고 주장했다. 그는 명상과 같은 이완 기법이 심박수, 혈압, 호르몬 수준을 낮추어 신체적 건강을 개선

할 수 있음을 발견했다. 그의 연구는 심리적 확신과 신념이 신체적 건강에 미치는 긍정적인 영향을 강조한 것이다. 정신이 물질에 영향을 미치고 있다는 증거인 것이다.

벤슨은 고혈압 환자들을 대상으로 명상의 효과를 연구했다. 그는 환자들이 매일 20분씩 명상하는 프로그램을 도입했다. 그리고 그는 8주 후에 환자들의 혈압이 유의미하게 감소했음을 발견했다. 이 연구는 확실한 느낌의 법칙이 신체의 생리적 반응을 긍정적으로 변화시킬 수 있음을 보여준다.

"우리의 감정은 신경 펩타이드를 통해 신체의 모든 세포와 소통합니다. 긍정적인 감정과 신념은 면역 체계와 건강에 큰 영향을 미칩니다."_캔디스 퍼트 박사

캔디스 퍼트 박사는 미국의 신경과학자이자 약리학자로, 감정과 신경 화학의 상호작용을 연구했다. 그녀의 연구는 확실한 느낌의 법칙이 신경 화학적 수준에서 어떻게 건강에 영향을 미치는지 설명한다.

퍼트는 신체의 감정적 경험이 신경 펩타이드와 수용

체를 통해 신체의 모든 세포와 상호작용한다고 주장했다. 그녀의 연구는 감정이 면역 체계와 신경계에 미치는 영향을 탐구했다. 그 결과 긍정적인 감정과 확실한 느낌이 신체적 건강을 촉진할 수 있음을 보여주었다.

퍼트는 긍정적인 감정이 면역 체계에 미치는 영향을 연구하기 위해 암 환자들을 대상으로 실험을 진행했다. 그녀는 환자들이 긍정적인 감정을 느낄 때 면역 세포의 활동이 증가함을 발견했다. 이는 긍정적인 감정과 확실한 느낌이 면역 기능을 강화할 수 있음을 시사한다.

"우리의 신념과 생각은 유전적 발현을 변경할 수 있습니다. 긍정적인 신념은 세포의 건강과 회복에 중요한 역할을 합니다."_브루스 립턴 박사

브루스 립턴 박사는 미국의 세포 생물학자로, 확실한 느낌과 건강의 상관관계를 연구한 바 있다. 그의 연구는 유전학과 환경적 요인이 결합된 건강 패턴을 이해하는 데 기여했다.

립톤은 '생물학적 신념' 이론을 통해 신념과 확실한 느낌이 세포 수준에서 건강에 영향을 미친다고 주장했

다. 그는 실험을 통해 긍정적인 믿음과 확실한 느낌의 환경이 세포의 성장과 회복에 직접적인 영향을 미친다는 것을 보여주었다.

립톤은 세포 배양 실험을 통해 긍정적인 환경과 신념이 세포의 성장과 회복에 미치는 영향을 연구했다. 그는 세포들이 긍정적인 환경에서 더 건강하고 빠르게 성장함을 발견했다. 이는 신념과 확실한 느낌이 세포 건강에 중요한 역할을 한다는 것을 증명한다.

확실한 느낌의 법칙은 건강에 깊은 영향을 미친다. 벤슨 박사의 이완 반응 연구, 퍼트 박사의 감정과 면역 연구, 립톤 박사의 생물학적 신념 이론 모두는 긍정적인 신념과 확실한 느낌이 신체적 건강을 증진시킬 수 있음을 보여준다.

또한 렌저 박사의 역행 노화 실험, 초프라 박사의 마음-몸-영혼 연결 연구, 립톤 박사의 믿음의 생물학 연구 모두 긍정적인 신념과 확실한 느낌이 신체적 노화를 늦출 수 있음을 보여준다.

이 학자들의 연구를 통해 확실한 느낌의 법칙이 건강을 유지하고 개선하는 데 큰 도움을 준다는 것이 증명되었다. 이들의 연구는 노화 방지와 관련된 중요한 역할을 한다. 그리고 이 연구가 당신에게 큰 도움을 준다. 확실한 느낌의 법칙이 건강 유지와 노화방지에 얼마나 중요한 역할을 하는지 말이다. 이 법칙을 일상 생활에 적용하면, 당신은 더 건강하고 풍요로운 삶을 살 수 있다.

이 법칙을 일상 생활에 적용하는 것은 어렵지 않다. 매일 긍정적인 마음가짐을 유지하고, 자신의 확실한 느낌을 강화하는 활동을 지속적으로 수행하면 된다. 혼자 하기 어려우면 가족이나 친구들과 함께 그룹을 만들어 수행하라. 이를 통해 당신은 노화를 늦추고, 더 활기차고 건강한 삶을 살 수 있다.

ONE KEY POINT

✓ 리사는 확실한 느낌의 법칙을 통해 긍정적인 신념을 갖고 만성 질환을 극복했다. 긍정적인 확신은 신체적 변화와 회복을 촉진한다.

✓ 앤은 확실한 느낌의 법칙을 일상 생활에 적용해 건강과 활력을 유지했다. 일상적인 긍정적인 마음가짐과 확신은 노화를 늦추고 건강을 증진시킨다.

✓ 버니 시걸과 딘 오니쉬 박사의 연구는 확실한 느낌의 법칙이 질병 치료와 예방에 효과적임을 증명했다. 긍정적인 신념과 생활 방식의 변화는 면역 체계와 심혈관 건강을 개선한다.

✓ 엘렌 랭거와 디팩 초프라 박사의 연구는 확실한 느낌의 법칙이 신체적 노화를 늦출 수 있음을 보여준다. 긍정적인 신념과 명상은 세포의 재생과 신체의 건강을 촉진한다.

✓ 캔디스 퍼트와 브루스 립톤 박사의 연구는 감정

과 신념이 세포 수준에서 건강에 영향을 미친다
고 설명한다. 긍정적인 감정과 확실한 느낌은 면
역 체계와 유전자 발현을 변화시켜 건강을 증진
한다.

성공의 원키

　　성공하고 싶다. 당신은 일, 재산, 부부, 인생에서 성공하고 싶다. 당신뿐만 아니라 세상 모두가 성공하고 싶어한다. 그런데 성공이란 무엇인가? 주변 사람들이 성공했다고 인정해 주면 성공한 것인가? 내가 성공했다고 결론을 내리면 되는 것인가? 수많은 성공한 사람들이 성공에 대해 정의한 수천권의 책을 읽고 나니, 한 문장으로 표현된다.

"성공은 균형 잡힌 삶을 사는 것이다."_키마스터 (KEY MASTER, 이 책의 저자)

"자신과 타인에게 긍정적인 영향을 미치며, 목표를 달성하고, 내적 만족과 행복을 느끼며, 지속적으로 성장하고, 사회에 기여하는 균형 잡힌 삶이 곧 성공이다."_키마스터(KEY MASTER, 이 책의 저자)

당신이 원하는 것이 이것인가? 아니면 돈이 많으면 되는가? 당신이 원하는 것이 성공 맞는가? 아니면 높은 지위에 올라 되도록 많은 사람들을 내마음대로 휘두르고 싶은가? 당신이 원하는 것이 진짜 균형 잡힌 삶인가? 아니면 세상사람들에게 존경을 받는 것인가?

당신은 진짜 성공하고 싶은가?

당신이 진실로 원하는 것이 성공인가?

이 질문에 "그렇다. 나는 진실로 성공을 원한다."가 당신의 답인가? 그렇다면, 당신은 100% 확실히 성공할 수 있다. 당연히 확실한 느낌의 법칙을 활용한다면.
당신이 누구든지, 당신이 어디에 있든지, 당신이 어떤 상태에 있던지 상관없다. 당신은 성공한다. 확실한 느낌의 법칙은 당신이 원하는 목표를 강력하게 믿고, 그 목표가 이미 이루어진 것처럼 확실히 느끼는 것을 기반으로 한다. 이 법칙을 통해 성공을 이룬 사람들의 이야기를 들어보자.

목표를 설정하고 시각화하라

제임스의 성공 이야기

제임스는 작은 마을에서 평범한 생활을 하던 사람으로, 직장에서의 승진을 꿈꾸고 있었다. 하지만 그는 매일 똑같은 일상을 반복하며 자신의 꿈을 점점 잊어가고 있었다. 어느 날, 제임스는 확실한 느낌의 법칙에 대해 알게 되었고, 이 법칙을 통해 자신의 목표를 이루기로 결심했다.

제임스는 먼저 자신이 이루고자 하는 목표를 명확하게 설정했다. 그는 직장에서의 승진을 목표로 삼았다. 단순히 승진을 바라는 것이 아니라, 구체적으로 어느 직위에 오르고 싶은지, 그 직위에서 어떤 역할을 하고 싶은지까지 상세히 정의했다.

그는 목표를 구체적으로 설정한 후, 그 목표를 이루기 위한 구체적인 계획을 세웠다. 제임스는 자신의 능력을 향상시키기 위해 어떤 기술을 배우고, 어떤 프로젝트에 참여해야 하는지에 대해 고민했다. 그는 목표를 작은 단계로 나누어 실행 가능한 계획을 세웠다.

매일 아침, 제임스는 잠에서 깨어나기 전 몇 분 동안 자신의 목표를 시각화했다. 그는 자신이 목표를 이루었을 때의 모습을 생생하게 상상했다. 승진 후의 자신의 모습, 새로운 책상, 동료들과의 새로운 관계 등을 구체적으로 그려보았다. 이 과정은 그에게 큰 동기부여가 되었다.

제임스는 시각화를 할 때 단순히 상상하는 것에서 그치지 않았다. 그는 그 목표가 이루어진 것처럼 느끼기 위해 자신의 감정을 깊이 몰입시켰다. 승진의 기쁨, 동료들의 축하, 자신에 대한 자부심 등을 강하게 느꼈다. 이러한 감정은 그의 의지를 더욱 굳건히 만들었다.

저녁에도 제임스는 잠들기 전에 같은 과정을 반복했다. 그는 하루를 되돌아보며 자신이 목표를 향해 어떤 진전을 이루었는지 생각하고, 다시 한번 목표가 이루어진 모습을 시각화했다. 이 과정은 그에게 하루의 마무리를 긍정적으로 할 수 있게 했다.

제임스는 목표를 향해 나아가는 동안 작은 성공을 경험하기 시작했다. 예를 들어, 중요한 프로젝트에서 좋은 평가를 받거나, 상사의 신뢰를 얻게 되는 일이 있었다. 이러한 작은 성공들은 그의 자신감을 높여주었다.

제임스는 작은 성공을 통해 확실한 느낌의 법칙을 더욱 확신하게 되었다. 그는 자신이 설정한 목표가 현실로 이루어질 것이라는 믿음을 갖게 되었고, 이 믿음은 그를 더 열심히 일하게 만들었다. 그는 매일 아침과 저녁의 시각화를 통해 자신의 목표를 더욱 강화했다.

제임스의 긍정적인 변화는 주변 사람들에게도 영향을 미쳤다. 동료들은 그의 열정과 노력을 보며 동기부여를 받았고, 상사들은 그의 성장을 눈여겨보게 되었다. 이러한 변화는 제임스에게 더 큰 기회를 가져다주었다.

마침내, 제임스는 그토록 바라던 승진의 순간을 맞이하게 되었다. 그는 목표를 이루기 위해 꾸준히 노력한 결과, 상사의 인정을 받아 승진하게 되었다. 그 순간, 그는 매일 시각화했던 장면들이 현실이 되는 것을 느끼며 큰 감동을 받았다.

승진 후에도 제임스는 확실한 느낌의 법칙을 계속해서 적용했다. 그는 새로운 목표를 설정하고, 이를 이루기 위해 시각화 과정을 반복했다. 이러한 과정은 그에게 지속적인 성장을 가능하게 했다.

제임스의 이야기는 확실한 느낌의 법칙이 목표 달성

에 얼마나 강력한 도구가 될 수 있는지를 보여준다. 독
자들은 제임스의 사례를 통해 자신의 목표를 명확히
설정하고, 시각화를 통해 그 목표를 이루는 과정을 경
험할 수 있다. 이러한 과정을 통해 우리는 누구나 자신
의 꿈을 현실로 만들 수 있다.

즐거운 느낌을 유지하라

마크의 성공 이야기

마크는 항상 목표를 설정하는 데 있어서 열심히 노력해왔다. 그는 자신이 원하는 목표를 명확히 설정했지만, 종종 중간에 포기하곤 했다. 그러던 어느 날, 그는 "즐거운 느낌 유지"가 성공의 중요한 요소라는 사실을 알게 되었다. 이 새로운 접근 방식은 그의 삶을 완전히 바꿔 놓았다.

마크는 자신의 목표를 시각화 할 때마다 즐거운 느낌을 유지하기로 결심했다. 그는 아침마다 잠에서 깨어날 때, 자신의 목표가 이미 이루어진 것처럼 느끼며 하루를 시작했다. 이를 통해 그는 목표를 향한 열정을 재점화했다. 목표가 이루어진 모습을 상상하며, 그로 인해 느끼는 기쁨과 만족감을 마음속 깊이 느껴보았다. 이는 그의 하루를 긍정적으로 시작하게 만들었다.

첫 번째 목표는 직장에서의 승진이었다. 마크는 매일 아침 출근길에 자신이 승진한 모습을 상상했다. 그는 자신이 새로운 직책에서 일하는 모습을 그리며, 그로 인해 느끼는 성취감과 자부심을 마음속 깊이 느꼈다. 이러한 상상은 그의 자신감을 높여주었고, 동료들과의 관계도 더욱 긍정적으로 바뀌게 만들었다.

마크는 또한 건강한 삶을 목표로 삼았다. 그는 매일 아침 운동을 하며, 운동 후의 상쾌함과 활력을 상상했다. 운동하는 동안에도 자신이 목표한 체중을 달성한 모습을 마음속에 그렸다. 그로 인해 느끼는 기쁨과 만족감은 그의 운동 의지를 더욱 강화시켰다. 매일 아침 운동을 하면서 마크는 즐거운 느낌을 유지했다.

마크는 좋은 인간관계를 유지하는 것도 중요하다고 생각했다. 그는 친구들과의 만남을 상상하며, 그들과 함께 시간을 보내는 즐거움을 마음속 깊이 느꼈다. 이는 그의 인간관계를 더욱 풍요롭게 만들었고, 친구들과의 유대감을 강화시켰다. 그는 친구들과의 시간을 소중히 여기며, 즐거운 느낌을 유지했다.

그는 또한 매일 저녁 목표가 이루어진 모습을 다시 한번 상상하며 하루를 마무리했다. 이를 통해 그는 하루 동안의 성취를 확인하고, 다음 날을 위한 동기부여를 얻었다. 마크는 목표가 이루어졌을 때의 기쁨과 만족감을 매일 밤 상상하며, 긍정적인 느낌을 유지했다.

마크는 즐거운 느낌을 유지하는 것이 목표 달성에 얼마나 중요한지 깨달았다. 그는 목표를 시각화할 때마다 그로 인해 느끼는 기쁨과 만족감을 마음속 깊이 느꼈다. 이는 목표를 이루기 위한 동기부여와 에너지를 제공했다. 즐거운 느낌을 유지함으로써 마크는 목표 달성을 위한 행동에 더욱 적극적으로 나설 수 있었다.

이 새로운 접근 방식은 마크의 삶에 큰 변화를 가져왔다. 그는 목표를 설정하고, 그 목표가 이루어진 것처럼 느끼며 매일을 살아갔다. 이는 그의 자신감을 높여주었고, 목표를 향한 열정을 지속시켰다. 마크는 목표를 이루기 위한 동기부여와 에너지를 유지하며, 성공을 향해 나아갔다.

마크의 이야기는 "즐거운 느낌 유지"가 목표 달성에 얼마나 중요한지를 보여준다. 목표를 시각화할 때마다 즐거운 느낌을 유지하는 것은 목표를 이루기 위한 강력한 동기부여와 에너지를 제공한다. 이를 통해 우리는 목표 달성을 위한 행동에 더욱 적극적으로 나설 수 있다. 마크처럼 즐거운 느낌을 유지하며 목표를 향해 나아가라.

결국, 목표를 이루기 위한 여정에서 즐거운 느낌을

유지하는 것은 매우 중요하다. 목표가 이루어진 것처럼 느끼며 그로 인해 느끼는 기쁨과 만족감을 마음속 깊이 느껴보라. 이는 목표를 이루기 위한 강력한 동기 부여와 에너지를 제공할 것이다. 즐거운 느낌을 유지함으로써 우리는 목표 달성을 위한 행동에 더욱 적극적으로 나설 수 있다.

지속적인 자기 성장을 하라

줄리아의 성공이야기

줄리아는 항상 자기 성장을 추구하는 사람이었다. 그녀는 목표를 이루기 위해 필요한 기술이나 지식을 습득하고, 자신을 발전시키기 위한 노력을 꾸준히 해왔다. 그러나 한동안 그녀는 정체된 느낌을 받았다. 그러던 어느 날, 확실한 느낌의 법칙을 알게 되면서 그녀의 인생은 새로운 국면을 맞이하게 되었다.

줄리아는 확실한 느낌의 법칙을 통해 지속적인 자기 성장을 촉진하기로 결심했다. 그녀는 우선 자신의 목표를 명확히 설정했다. 그녀의 첫 번째 목표는 경영학 석사 학위를 취득하는 것이었다. 줄리아는 이 목표를 이루기 위해 필요한 기술과 지식을 습득하기 시작했다. 매일 밤, 그녀는 경영학 관련 서적을 읽고, 온라인 강의를 들으며 지식을 쌓아갔다.

처음에는 낯선 개념들이 그녀를 혼란스럽게 했지만, 그녀는 포기하지 않았다. 줄리아는 목표가 이루어진 모습을 상상하며, 그로 인해 느끼는 기쁨과 만족감을 마음속 깊이 느꼈다. 이는 그녀에게 큰 동기부여가 되었고, 학습의 즐거움을 배가 시켰다. 줄리아는 매일 조금씩 성장하는 자신의 모습을 통해 큰 만족감을 느꼈다.

줄리아는 공부 외에도 다양한 활동을 통해 자신을 발전시키기 위해 노력했다. 그녀는 자신의 리더십 능력을 키우기 위해 지역 봉사활동에 참여하기로 했다. 이 활동을 통해 그녀는 많은 사람들과 교류하며, 리더십과 소통 능력을 향상시킬 수 있었다. 줄리아는 봉사활동을 하면서도 목표가 이루어진 모습을 상상하며, 그로 인해 느끼는 기쁨을 마음속 깊이 느꼈다.

이러한 경험들은 그녀에게 큰 자신감을 주었다. 줄리아는 자신이 설정한 목표를 달성하기 위해 필요한 기술과 지식을 습득하고, 자신을 발전시키기 위한 노력을 꾸준히 해왔다. 이는 목표 달성을 위해 반드시 필요한 과정이었다. 줄리아는 자신이 성장하는 모습을 통해 더욱 큰 만족감을 느꼈다.

줄리아는 또한 전문가들과의 네트워킹을 통해 자신의 성장을 도모했다. 그녀는 학회나 세미나에 참석하여 최신 경영 트렌드와 정보를 얻었고, 이를 통해 자신의 지식을 더욱 깊이 있게 만들었다. 그녀는 전문가들과의 대화를 통해 새로운 아이디어를 얻고, 자신의 목표를 더욱 구체화할 수 있었다.

줄리아는 확실한 느낌의 법칙을 적용하면서 지속적인 자기 성장을 이룰 수 있었다. 그녀는 경영학 석사 학위를 취득하는 목표를 이루었고, 이를 통해 새로운 직업 기회를 얻을 수 있었다. 또한, 리더십 능력과 소통 능력을 향상시키며, 다양한 사람들과의 관계를 발전시켰다.

이 모든 과정에서 줄리아는 확실한 느낌의 법칙이 얼마나 강력한 도구인지를 깨달았다. 그녀는 목표를 이루기 위해 필요한 기술이나 지식을 습득하고, 자신을 발전시키기 위한 노력을 꾸준히 했다. 이를 통해 그녀는 큰 성취감을 느꼈고, 자신의 성장이 곧 성공의 키라는 것을 확신하게 되었다.

줄리아의 이야기는 우리 모두에게 중요한 교훈을 준다. 지속적인 자기 성장은 목표 달성의 필수 요소이다. 확실한 느낌의 법칙을 통해 우리는 목표를 향한 열정을 유지하고, 필요한 기술과 지식을 습득하며, 자신을 꾸준히 발전시킬 수 있다. 이는 우리의 삶을 더욱 풍요롭게 만들고, 큰 만족감을 가져다준다.

결국, 성공은 목표를 이루기 위해 필요한 기술과 지식을 습득하고, 자신을 발전시키기 위한 꾸준한 노력에서 비롯된다. 줄리아처럼 확실한 느낌의 법칙을 적용하여 지속적인 자기 성장을 이룬다면, 우리는 더욱 큰 만족감을 느끼며 성공적인 삶을 살 수 있다.

신뢰와 소통을 살아라

존의 성공 이야기

존은 평범한 회사원으로, 항상 더 나은 성과를 내기 위해 노력하고 있었다. 그러나 그는 종종 팀원들과의 소통에서 어려움을 겪으며, 신뢰를 쌓는 데에도 애를 먹고 있었다. 이런 상황에서 존은 확실한 느낌의 법칙을 알게 되었고, 이를 신뢰와 소통에 적용해 보기로 결심했다.

먼저, 존은 자신과 타인에 대한 신뢰를 쌓는 것부터 시작했다. 그는 자신의 능력을 믿고, 팀원들이 가진 잠재력을 신뢰하기로 마음먹었다. 존은 팀원들과의 대화를 통해 그들의 의견과 생각을 존중하고, 그들이 믿을 수 있는 사람임을 보여주기 시작했다. 이는 팀 내 신뢰를 쌓는 중요한 첫걸음이었다.

존은 매주 월요일 아침에 팀원들과의 정기적인 회의를 주최하기로 했다. 이 회의는 단순한 업무 보고를 넘어서, 서로의 의견을 자유롭게 나누고 피드백을 주고

받는 소통의 장이 되었다. 팀원들은 자신들의 의견이 존중받고 있다는 느낌을 받으며, 점점 더 적극적으로 참여하게 되었다.

회의에서 존은 항상 긍정적인 피드백을 주었고, 실수를 지적하기보다는 개선할 점을 함께 찾아 나가는 방식을 취했다. 이는 팀원들이 더 편안하게 자신의 생각을 표현할 수 있도록 도와주었고, 소통의 질을 높이는 데 크게 기여했다. 존은 팀원들이 더 나은 성과를 내기 위해 함께 노력하는 모습을 보며 확신을 가지게 되었다.

존은 또한 팀원들과의 개인 면담 시간을 가지기로 했다. 그는 각 팀원들과 일대일로 대화하며 그들의 고민과 어려움을 듣고, 이를 해결하기 위해 함께 노력했다. 이를 통해 존은 팀원들의 신뢰를 더욱 깊이 쌓을 수 있었다. 팀원들은 존에게 자신의 문제를 털어놓을 수 있었고, 존은 그들의 문제를 해결하기 위해 최선을 다했다.

이 과정에서 존은 확실한 느낌의 법칙을 적용하여, 자신과 팀원들이 함께 목표를 이루어 나가는 모습을 시각화했다. 그는 팀원들과 함께 목표를 설정하고, 그 목표가 이미 달성된 것처럼 느끼며 긍정적인 에너지를 나누었다. 이는 팀 전체의 사기를 높이고, 더 큰 성과를 이루는 데 중요한 역할을 했다.

한 번은 중요한 프로젝트에서 문제가 발생했을 때, 존은 팀원들과의 신뢰와 소통을 바탕으로 문제를 해결해 나갔다. 그는 팀원들과 함께 문제의 원인을 분석하고, 해결책을 모색했다. 이 과정에서 존은 팀원들의 의견을 적극적으로 수렴하고, 그들이 주체적으로 문제를 해결할 수 있도록 격려했다. 결과적으로, 팀은 문제를 빠르게 해결하고 프로젝트를 성공적으로 마무리할 수 있었다.

존은 또한 팀원들의 성과를 인정하고, 이를 공개적으로 칭찬했다. 그는 작은 성과라도 이를 놓치지 않고, 팀원들에게 감사를 표하며 그들의 노고를 치하했다. 이는 팀원들의 동기부여를 높이고, 더 나은 성과를 내는 데 큰 도움이 되었다. 존은 팀원들과의 신뢰와 소통을 통해 더 나은 성과를 이루어 나갔다.

이와 같은 존의 노력은 팀 전체의 성과 향상으로 이어졌다. 팀원들은 존을 신뢰하고, 그의 리더십 아래서 기꺼이 노력하게 되었다. 존은 자신의 역할에 자부심을 느끼며, 팀의 성공을 함께 나누는 기쁨을 맛보았다. 그는 신뢰와 소통이 얼마나 중요한지를 깨달았고, 이를 통해 자신의 커리어에도 큰 성장을 이룰 수 있었다.

존의 이야기는 신뢰와 소통이 성공의 중요한 요소임을 잘 보여준다. 확실한 느낌의 법칙을 통해 존은 자신과 팀원들 간의 신뢰를 쌓고, 효과적인 소통을 통해 목표를 달성했다. 이 과정에서 존은 더 나은 삶을 만들어나갈 수 있었다.

신뢰와 소통은 성공의 중요한 요소이다. 확실한 느낌의 법칙을 통해 이를 실천하면, 당신은 더 나은 인간관계를 형성하고, 더 큰 성과를 이룰 수 있다. 존의 이야기는 이를 잘 보여주는 사례이며, 당신도 이를 통해 자신의 삶에 긍정적인 변화를 가져올 수 있을 것이다.

사회적 기여와 균형 잡힌 삶을 살아라.

마이클의 이야기

확실한 느낌의 법칙은 자신만의 성공이 아니라, 타인에게 긍정적인 영향을 미치는 성공을 추구한다. 사회에 기여하고, 균형 잡힌 삶을 살기 위해 노력하는 것은 우리가 개인적으로, 그리고 집단적으로 성장하는데 중요한 요소다. 마이클의 이야기를 들어보자.

마이클은 대기업의 임원으로 일하고 있었다. 그는 직장에서 많은 성공을 거두었지만, 내면의 공허함을 느끼고 있었다. 마이클은 단순히 자신의 성공만을 추구하는 삶이 아닌, 타인에게 긍정적인 영향을 미치는 삶을 살고 싶었다. 그래서 그는 확실한 느낌의 법칙을 적용하기로 결심했다.

마이클은 매주 토요일마다 지역 아동 복지센터에서 봉사활동을 시작했다. 그는 어린이들과 함께 시간을

보내며 그들의 이야기를 듣고, 필요한 지원을 제공했
다. 처음에는 시간 내기가 어려웠지만, 점점 봉사활동
을 통해 얻는 보람과 만족감이 커져갔다. 마이클은 자
신이 사회에 긍정적인 영향을 미치고 있다는 확신을
가졌다.

마이클은 또한 일과 삶의 균형을 유지하기 위해 노
력했다. 그는 더 이상 야근을 하지 않기로 결심하고,
매일 저녁 가족과 함께 저녁 식사를 했다. 가족과의 시
간은 그에게 큰 기쁨과 안정감을 주었다. 마이클은 직
장에서의 스트레스를 줄이고, 가족과의 유대감을 강화
하며 더욱 건강한 삶을 살 수 있었다.

마이클의 이야기는 타인에게 긍정적인 영향을 미치
는 성공이 얼마나 중요한지를 보여준다. 그는 자신의
성공을 통해 사회에 기여하고, 균형 잡힌 삶을 살기 위
해 노력했다. 이 과정에서 마이클은 자신의 내면의 공
허함을 채울 수 있었고, 진정한 만족감을 느꼈다. 이는
확실한 느낌의 법칙을 적용한 결과였다.

제인의 이야기

또 다른 예로, 제인은 작은 마을에서 농장을 운영하는 평범한 주부였다. 그녀는 항상 지역사회를 돕고 싶어했지만, 어떻게 해야 할지 몰랐다. 그러던 중, 제인은 확실한 느낌의 법칙을 알게 되었고, 이를 통해 사회적 기여와 균형 잡힌 삶을 추구하기로 결심했다.

제인은 매주 일요일마다 지역 교회에서 무료 급식 봉사활동을 시작했다. 그녀는 지역 주민들에게 따뜻한 식사를 제공하며, 그들의 이야기를 들었다. 제인은 봉사활동을 통해 지역사회와 더욱 가까워졌고, 자신의 삶에 큰 만족감을 느꼈다. 그녀는 타인에게 긍정적인 영향을 미치는 것이 얼마나 중요한지를 깨달았다.

제인은 또한 일과 삶의 균형을 유지하기 위해 농장 일을 체계적으로 관리했다. 그녀는 일과 휴식 시간을 명확히 구분하여, 가족과 함께하는 시간을 중요하게 여겼다. 제인은 가족과 함께 농장에서 피크닉을 즐기고, 주말마다 가까운 산을 등산하며 건강을 유지했다.

제인의 이야기는 우리가 일상 속에서 어떻게 사회적 기여와 균형 잡힌 삶을 실천할 수 있는지를 보여준다. 그녀는 자신의 작은 노력으로 지역사회에 큰 영향을 미쳤고, 이를 통해 자신의 삶도 더욱 풍요로워졌다. 제인은 확실한 느낌의 법칙을 통해 사회에 기여하고, 균형 잡힌 삶을 사는 것이 얼마나 중요한지를 몸소 실천했다.

이 두 가지 사례는 확실한 느낌의 법칙이 어떻게 개인의 성공을 넘어 사회적 기여와 균형 잡힌 삶을 이루는 데 중요한 도구가 되는지를 보여준다. 마이클과 제인은 자신의 삶에서 타인에게 긍정적인 영향을 미치기 위해 노력했고, 이를 통해 진정한 성공을 이룰 수 있었다.

사회적 기여와 균형 잡힌 삶은 단순히 개인의 성취에 그치지 않고, 더 큰 의미와 가치를 부여한다. 우리는 확실한 느낌의 법칙을 통해 자신만의 성공을 넘어, 타인과 함께 성장하고, 사회에 긍정적인 영향을 미칠수 있다. 이를 통해 우리는 더욱 건강하고 행복한 삶을 살 수 있다.

확실한 느낌의 법칙은 성공을 이루는 데 강력한 도구가 된다. 이를 통해 자신과 타인에게 긍정적인 영향을 미치고, 내적 만족과 행복을 느끼며, 지속적으로 성장하며 성공을 이루는 삶을 살 수 있다.

지금까지 들은 각각의 이야기를 정리해 보자. 그러면 확실한 느낌의 법칙을 통한 성공의 원칙이 나오게 된다.

성공의 5 대 원칙

목표 설정과 시각화 원칙

먼저, 자신이 이루고자 하는 목표를 명확하게 설정한다. 이 목표는 구체적이고 실현 가능한 것이어야 한다. 예를 들어, 직장에서의 승진, 건강한 삶, 좋은 인간관계 등을 목표로 설정할 수 있다. 이 목표를 시각적으로 상상하며, 그 목표가 이미 이루어진 것처럼 느껴보라. 매일 아침과 저녁에 잠깐의 시간을 할애하여 목표가 이루어진 모습을 생생하게 상상한다.

즐거운 느낌 유지 원칙

목표를 시각화할 때마다 즐거운 느낌을 유지하는 것이 중요하다. 목표가 이루어진 것처럼 느끼며, 그로 인해 느끼는 기쁨과 만족감을 마음속 깊이 느껴보라. 이는 목표를 이루기 위한 동기부여와 에너지를 제공한다. 즐거운 느낌을 유지함으로써 목표 달성을 위한 행동에 더욱 적극적으로 나설 수 있다.

지속적인 자기 성장 원칙

확실한 느낌의 법칙은 지속적인 자기 성장을 촉진한다. 목표를 이루기 위해 필요한 기술이나 지식을 습득한다. 그리고 자신을 발전시키기 위한 노력을 꾸준히 한다. 이는 목표 달성을 위해 반드시 필요한 과정이며, 자신이 성장하는 모습을 통해 더욱 큰 만족감을 느낄 수 있다.

신뢰와 소통 원칙

성공의 중요한 요소인 신뢰와 소통을 확실한 느낌의 법칙과 결합시켜 실천한다. 자신과 타인에 대한 신뢰를 바탕으로 긍정적인 인간관계를 형성한다. 그리고 효과적인 소통을 통해 목표를 달성한다. 이러한 과정을 통해 더 나은 삶을 만들어 나갈 수 있다.

사회적 기여와 균형 잡힌 삶 원칙

확실한 느낌의 법칙은 자신만의 성공이 아니라, 타인에게 긍정적인 영향을 미치는 성공을 추구한다. 사회에 기여하고, 균형 잡힌 삶을 살기 위해 노력하라. 자선활동이나 봉사활동을 통해 사회에 기여한다. 그리고 일과 삶의 균형을 유지하며 건강하고 행복한 삶을 살도록 한다.

확실한 느낌의 법칙은 목표 설정, 긍정적인 느낌 유지, 지속적인 자기 성장, 신뢰와 소통, 사회적 기여와 균형 잡힌 삶이라는 "성공의 5대원칙"을 창조했다. 이를 통해 당신은 자신과 타인에게 긍정적인 영향을 미치고, 내적 만족과 행복을 느끼며, 지속적으로 성장하는 진짜 성공을 한 삶을 살게 된다. 당신은 더욱 풍요로운 삶을 살 수 있다. 지금 이 순간부터 확실한 느낌의 법칙을 실천하라. 그리고 자신의 목표를 향해 힘차게 나아가라. 당신도 성공할 수 있다. 지금 바로 시작하라!

ONE KEY POINT

✓ 자신이 이루고자 하는 목표를 명확하게 설정하고, 이를 시각적으로 상상하며 확실한 느낌을 가져라. 매일 아침과 저녁, 목표가 이미 이루어진 것처럼 느끼는 과정이 중요하며, 이는 성공을 향한 첫걸음이다.

✓ 목표를 시각화할 때마다 즐거운 느낌을 유지하라. 긍정적인 감정은 목표 달성을 위한 동기부여와 에너지를 제공하며, 이는 성공을 이루는 데 필수적이다.

✓ 목표를 이루기 위해 필요한 기술과 지식을 습득하고, 꾸준히 자신을 발전시켜라. 확실한 느낌의 법칙은 지속적인 자기 성장을 촉진하며, 이는 성공을 지속적으로 이루는 데 핵심적인 역할을 한다.

✓ 자신과 타인에 대한 신뢰를 바탕으로 긍정적인 인간관계를 형성하고, 효과적인 소통을 통해

목표를 달성하라. 신뢰와 소통은 성공을 위한
중요한 요소이며, 이를 통해 더 큰 성과를 얻을
수 있다.

✓ 확실한 느낌의 법칙을 통해 사회에 기여하고,
균형 잡힌 삶을 살기 위해 노력하라. 사회적
기여와 개인적 성장은 진정한 성공을 이루는 데
필수적이며, 이는 지속 가능한 행복과 만족을
제공한다.

행복의 원키

"행복은 가까이에 있다. 작은 것에서 행복을 찾아라."
이런 식상한 이야기를 하려는 것이 아니다. 실질적인
행복에 대해서 이야기하려는 것이다. 먼저, 당신과 같
은 상황의 리사의 이야기를 들어보자.

리사의 이야기

리사는 대도시에서 평범한 직장인으로 살고 있었다.
그녀는 항상 바쁘게 살았지만, 내면의 행복과 만족을
찾는 데 어려움을 겪고 있었다. 스트레스와 불안이 그
녀의 일상에 자주 찾아왔고, 이는 건강과 인간관계에
도 부정적인 영향을 미쳤다. 그러던 어느 날, 리사는 "
확실한 느낌의 법칙"에 대해 알게 되었고, 이를 통해
자신의 삶을 변화시키기로 결심했다.

리사는 자신이 원하는 목표를 명확히 설정하고 시각
화하는 연습을 시작했다. 매일 아침과 저녁, 잠깐의 시
간을 할애하여 자신이 이미 행복하고 평온한 상태를

시각화했다. 그리고 그 감정을 깊이 느꼈다. 그리고 정말 중요한 것을 잊지 않았다. 자신이 원하는 것이 반드시 이루어 지리라는 확실한 느낌을 느끼는 것이었다. 그녀는 매일 아침 창가에 앉아 따뜻한 차를 마시며, 마음 속에 평화를 느끼는 연습을 했다. 이 간단한 습관은 그녀의 내적 만족과 평온을 유지하는 데 큰 도움이 되었다.

리사는 감사의 마음을 키우기 위해 감사 일기를 쓰기 시작했다. 하루에 감사한 일 세 가지를 적으며, 작은 것에도 감사하는 마음을 갖기로 했다. 그리고 감사한 마음이 자신을 행복으로 이끌어 주리라는 확실한 느낌을 느끼는 것을 잊지 않았다. 예를 들어, 날씨가 좋았던 날, 친구와의 즐거운 대화, 직장에서의 작은 성취 등을 감사 일기에 적었다. 이 과정에서 리사는 자신의 삶에서 긍정적인 면을 더 많이 발견하게 되었다. 그리고 이 감사 일기에 리사에게 얼마나 큰 행복을 주는지에 대해 확실한 느낌을 충분히 느꼈다. 이는 그녀의 마음을 더욱 밝고 긍정적으로 만들었다.

확실한 느낌의 법칙을 활용하면서 리사는 자신이 이미 건강하고 활기찬 상태라고 믿고 확신했다. 매일 규칙적으로 운동하고, 건강한 식습관을 유지하며, 충분한 수면을 취하기 위해 노력했다. 그녀는 자신이 이미 건강한 상태라고 시각화했다. 그리고 그 확실한 느낌을 느끼기 위해 노력했다. 이로 인해 그녀의 신체적, 정신적 건강은 눈에 띄게 개선되었다.

리사는 좋은 인간관계를 맺기 위해 신뢰와 소통을 중요시했다. 가족, 친구, 동료와의 관계에서 신뢰를 바탕으로 진솔한 대화를 나누려고 노력했다. 그녀는 확실한 느낌의 법칙을 통해 이미 따뜻하고 신뢰 있는 관계를 맺고 있다고 확신했다. 이러한 관계를 유지하기 위해 작은 행동들을 실천했다. 예를 들어, 친구에게 감사의 편지를 쓰거나, 가족과의 시간을 더 많이 가지는 것이었다. 그러면서 이 행동이 자신을 행복한 삶으로 이끌어 주리라는 확실한 느낌을 느꼈다.

목표를 달성하고 성취감을 느끼는 과정에서도 확실한 느낌의 법칙을 적용했다. 리사는 자신이 이미 목표를 달성한 상태라고 믿으며, 그것이 확실하다는 느낌을 느끼기 위해 노력했다. 예를 들어, 직장에서의 승진을 목표로 할 때, 이미 승진한 자신을 시각화하며 그 기쁨과 만족감을 느꼈다. 그리고 그것에 대해서 확실한 느낌을 온전히 느꼈다. 이는 그녀가 목표를 달성하기 위한 동기부여와 에너지를 제공했다.

리사는 또한 사회에 기여하고 균형 잡힌 삶을 살기 위해 자선활동과 봉사활동에도 참여했다. 주말마다 지역 사회 봉사활동에 참여하며, 자신의 시간과 에너지를 다른 사람들을 돕는 데 사용했다. 그러면서 이 행동이 자신을 행복하게 해 줄 것이라는 확실한 느낌을 느끼는 것을 잊지 않았다. 이는 그녀에게 깊은 만족감을 주었고, 삶의 의미를 더욱 풍부하게 만들어 주었다.

그녀의 일상은 점차 긍정적인 변화로 가득 찼다. 매일 아침과 저녁, 감사의 마음과 긍정적인 시각화를 통해 그녀의 마음은 평온과 만족으로 가득 찼다. 그녀의 건강은 좋아졌고, 인간관계도 더욱 깊어 졌다. 목표를 향한 열정과 성취감도 커져갔다. 리사는 이제 더 이상 스트레스와 불안에 시달리지 않았고, 그녀의 삶은 더욱 행복해졌다. 정말로 꿈 같은 삶이 펼쳐졌다.

리사의 이야기는 확실한 느낌의 법칙이 어떻게 평범한 사람의 삶을 변화시키고, 행복을 극대화할 수 있는지를 보여준다.

당신과 같은 상황에 있는 리사는 어떻게 불행을 극복하였나? 그리고 누구나 부러워할 정도로 행복하게 삶을 살 수 있었는가? 리사는 특별한 사람인가? 당신과 다른가? 전혀 아니다. 당신과 똑같다. 당신도 당연히 행복한 인생을 삶고 싶다. 그러니 아직까지 이 책을 읽고 있는 것 아닌가? 당연한 행위이다. 행복해지고 싶은 것은 모두가 원하는 것이니까. 당신뿐만 아니라, 이 세상 모든 사람들이 행복하기를 바란다.

그렇다면, **확실한 느낌의 법칙을 활용하라.** 확실한 느낌의 법칙은 자신이 원하는 목표를 강력하게 믿는 것에 기반을 둔다. 그리고 그 목표가 이미 이루어진 것처럼 느끼는 것을 기반으로 한다. 거기에 머물지 않고, 그것이 완전히 확실하다는 강력한 느낌을 간직한 채 실재로 살아 가는 것이다. 이 법칙은 행복을 추구하는 과정에서도 강력한 도구로 작용할 수 있다.

행복의 다양한 측면에서 어떻게 확실한 느낌의 법칙이 작용하는지 살펴보자.

행복은 내적 만족과 평온이다

확실한 느낌의 법칙은 내적 만족과 평온을 유지하는 데 중요한 역할을 한다. 이 법칙을 통해 자신이 원하는 상태를 이미 이루었다고 믿고 느끼는 과정에서, 마음의 평화를 얻을 수 있다. 글로벌 연구 데이터에 따르면, 내적 만족과 평온을 느낄 때 행복감이 크게 증가한다. 이러한 데이터는 확실한 느낌의 법칙을 활용하면 더욱 빠르고 크게 행복을 느낄 수 있음을 보여준다.

글로벌 행복 보고서에 따르면, 자신의 삶에 대한 만족도를 높게 평가하는 사람들은 그렇지 않은 사람들보다 전반적인 행복감이 50% 이상 높다고 보고되었다. 이 보고서는 긍정적인 사고와 시각화가 내적 평온과 만족을 높이는 데 중요한 역할을 한다고 강조한다. 확실한 느낌의 법칙을 통해 자신의 목표를 이미 달성한 것처럼 시각화하는 것은 이 같은 긍정적인 사고를 촉진하는 효과적인 방법이다.

심리학자 마틴 셀리그먼의 긍정 심리학 이론에서도 내적 만족과 평온을 유지하기 위해 자신의 강점을 활용하고 의미 있는 활동에 몰두하는 것이 중요하다고 강조한다. 셀리그먼의 연구에 따르면, 자신의 강점을 자주 활용하는 사람들은 그렇지 않은 사람들보다 30% 더 행복감을 느낀다.

 "자신의 강점을 발견하고, 그것을 일상생활에서 자주 활용하는 것이 행복을 지속적으로 증가시키는 열쇠이다."_마틴 셀리그먼

확실한 느낌의 법칙을 통해 이러한 활동을 이미 성공적으로 수행하고 있다고 느끼는 것은 내적 만족과 평온을 증가시킬 수 있다.

세계보건기구(WHO)는 정신적 건강과 행복의 연관성에 대한 연구에서, 마음의 평온과 만족감이 정신적 건강을 유지하는 데 중요한 요소임을 발견했다. 이 연구에 따르면, 정기적으로 내적 평온을 느끼는 사람들은 우울증과 불안 장애의 발생률이 40% 이상 낮다. WHO의 보고서에서는 "정신적 건강은 단순한 질병의 부재가 아니라, 내적 평온과 만족감을 지속적으로 느끼는 상태를 의미한다"고 명시하고 있다. 확실한 느낌의 법칙을 통해 이러한 내적 평온을 유지하는 것은 정신적 건강을 증진시키는 데 큰 도움이 된다.

또한, 하버드 대학교의 행복 연구에 따르면, 정서적 평온과 만족감은 장기적인 건강과 행복을 예측하는 중요한 요소이다. 이 연구는 따뜻한 인간관계와 함께 내적 평온이 삶의 만족도를 크게 높인다고 밝혔다. 연구를 이끈 로버트 월딩거(Robert Waldinger)는 다음과 같이 말했다.

 "정서적 평온과 만족감은 우리의 삶을 더욱 행복하게 만들고, 장기적인 건강을 유지하는 데 필수적이다."_로버트 월딩거

확실한 느낌의 법칙을 통해 이미 평온하고 만족스러운 상태를 유지하고 있다고 느끼는 것은 이러한 정서적 평온을 지속적으로 유지하는 데 도움이 된다.

캘리포니아 대학교의 연구에서는 긍정적인 시각화와 내적 만족의 관계를 조사했다. 이 연구에 따르면, 목표를 이미 달성한 것처럼 시각화하는 사람들은 그렇지 않은 사람들보다 목표를 실제로 달성할 확률이 40% 더 높았다. 연구 책임자인 다처 켈트너(Dacher Keltner)는 말했다.

"긍정적인 시각화는 내적 만족을 증진시키고, 목표 달성에 강력한 동기부여를 제공한다."_다처 켈트너

확실한 느낌의 법칙을 활용하는 것은 이러한 시각화 과정을 더욱 효과적으로 만들어, 내적 만족과 평온을 더욱 크게 느끼게 한다.

노벨상 수상자인 다니엘 카너먼은 행복 연구에서 '경험적 행복'과 '기억된 행복'을 구분하며, 일상적인 경험에서 느끼는 내적 만족과 평온이 중요하다고 강조했다. 그는 말했다.

"일상에서 느끼는 작은 만족과 평온이 축적되어 궁극적인 행복을 형성한다."_다니엘 카너먼

확실한 느낌의 법칙은 이러한 일상적인 만족을 지속적으로 느끼게 하여, 더 큰 행복을 만들어 나가는 데 큰 도움이 된다.

결론적으로, 내적 만족과 평온을 유지하는 것은 전반적인 행복을 느끼는 데 매우 중요하다. 글로벌 데이

터와 연구들은 확실한 느낌의 법칙이 이러한 내적 만
족과 평온을 더 빠르고 크게 느낄 수 있도록 돕는 강력
한 도구임을 보여준다. 매일 아침과 저녁에 잠깐의 시
간을 할애하여 평온하고 만족스러운 상태를 시각화하
며 그 감정을 느껴보라. 이를 통해 내적 행복을 유지하
고, 삶의 질을 높이는 데 큰 도움이 될 것이다.

행복은 관계에서 온다

확실한 느낌의 법칙은 인간관계를 개선하는 데 매우 유용하다. 좋은 인간관계를 맺기 위해서는 상대방에 대한 신뢰와 소통이 필수적이다. 이 법칙을 통해 이미 좋은 인간관계를 맺고 있다고 느끼는 것은 관계 개선에 큰 도움이 된다. 글로벌 기관과 세계 기관에서 조사한 통계적 데이터를 기반으로, 관계에서 오는 행복과 확실한 느낌의 법칙의 연관성을 살펴보자.

하버드 성인발달연구는 인간관계와 행복의 관계를 75년 이상 연구한 결과, 따뜻하고 신뢰 있는 관계가 건강과 행복을 예측하는 가장 강력한 요인임을 밝혀냈다. 이 연구에 따르면, 좋은 인간관계를 유지하는 사람들은 그렇지 않은 사람들보다 더 오래 살고, 더 건강하며, 더 행복하다고 보고되었다. 연구 책임자인 로버트 월딩거(Robert Waldinger)는 말했다.

"좋은 인간관계가 우리를 더 건강하고 행복하게 만드는 데 결정적인 역할을 한다."_로버트 월딩거

확실한 느낌의 법칙을 통해 이미 따뜻하고 신뢰 있
는 관계를 유지하고 있다고 믿으면, 실제로 그러한 관
계를 맺기 위한 행동을 자연스럽게 취하게 된다.

글로벌 행복 보고서에서도 인간관계가 행복에 미치
는 영향을 강조하고 있다. 보고서에 따르면, 가족, 친
구, 동료와의 긍정적인 관계는 삶의 만족도를 크게 높
이는 주요 요소로 작용한다. 특히, 사회적 지원 시스템
이 잘 구축된 국가일수록 국민들의 행복지수가 높은
것으로 나타났다. 확실한 느낌의 법칙을 통해 이러한
긍정적인 관계를 이미 맺고 있다고 느끼는 것은 관계
를 실제로 개선하는 데 큰 도움이 된다.

세계보건기구(WHO)도 정신적 건강과 행복에 있어
서 인간관계의 중요성을 강조한다. WHO는 건강한 인
간관계가 스트레스 감소, 정신적 안정, 전반적인 삶의
질 향상에 큰 기여를 한다고 보고 있다. WHO의 보고
서에서는 "건강한 인간관계는 정신적, 신체적 건강에
필수적이다"라고 명시되어 있다. 확실한 느낌의 법칙
을 활용하여 이미 건강한 인간관계를 유지하고 있다고
느끼면, 이는 정신적 건강을 더욱 증진시키는 효과를
가져올 수 있다.

캘리포니아 대학교의 연구에서도 긍정적인 인간관계가 행복에 미치는 영향을 조사했다. 이 연구에 따르면, 신뢰와 소통이 원활한 관계를 유지하는 사람들은 그렇지 않은 사람들보다 더 높은 수준의 행복과 만족감을 느낀다. 연구 책임자인 다처 켈트너는 말했다.

 "신뢰와 소통이 좋은 인간관계를 형성하는 데 핵심 요소이다."_다처 켈트너

확실한 느낌의 법칙을 통해 이러한 관계를 이미 맺고 있다고 믿는 것은 관계를 더욱 강화하는 데 큰 도움이 된다.

옥스퍼드 대학교의 연구는 행복한 인간관계가 직장 내 성과 와도 밀접한 관련이 있음을 밝혔다. 긍정적인 동료 관계는 업무 만족도와 성과를 높이는 데 중요한 역할을 한다. 연구를 이끈 로빈 던바(Robin Dunbar)는 언급했다.

 "동료와의 긍정적인 관계는 직장에서의 만족도와 성과를 크게 향상시킨다."_로빈 던바

확실한 느낌의 법칙을 통해 이미 좋은 동료 관계를 맺고 있다고 느끼면, 실제로 업무 성과와 만족도가 향상될 수 있다.

관계에서 오는 행복은 글로벌 데이터와 연구에서 일관되게 나타나는 중요한 요소이다. 확실한 느낌의 법칙을 통해 이미 좋은 인간관계를 맺고 있다고 믿고 느끼는 것은 관계 개선에 매우 효과적이다. 매일 잠깐의 시간을 할애하여 따뜻하고 신뢰 있는 관계를 시각화하며 그 감정을 느껴보라. 이를 통해 인간관계에서 오는 행복을 더 빠르고 크게 느낄 수 있을 것이다.

행복은 성취와 자기실현이다

확실한 느낌의 법칙은 목표 달성과 성취감을 느끼는 과정에서도 중요한 역할을 한다. 자신이 설정한 목표를 이미 이루었다고 느끼는 것은 동기부여와 에너지를 제공한다. 글로벌 연구 데이터에 따르면, 목표를 달성한 사람들은 그렇지 않은 사람들보다 더 큰 만족감을 느끼며, 이는 개인의 행복과 직접적인 연관이 있다.

글로벌 행복 보고서에 따르면, 자신의 목표를 달성한 사람들은 전반적인 삶의 만족도가 60% 이상 높다고 보고되었다. 이는 목표 달성이 개인의 행복에 얼마나 큰 영향을 미치는지를 보여준다. 확실한 느낌의 법칙을 통해 목표를 이미 달성한 것처럼 느끼는 것은 이러한 만족감을 증진시키는 강력한 도구가 된다.

심리학자 아브라함 매슬로우는 그의 욕구 단계 이론에서 자아실현이 최고 단계의 욕구라고 말했다. 그는 설명했다.

 "자아실현은 자신이 모든 잠재력을 최대한 발휘하는 상태를 의미한다." 아브라함 매슬로우 확실한 느낌의 법칙을 통해 자아실현을 이미 이룬 상태로 느끼는 것은 개인의 성장과 발전을 촉진한다. 매슬로우의 연구에 따르면, 자아실현을 느끼는 사람들은 그렇지 않은 사람들보다 50% 더 높은 성취감을 경험한다.

세계보건기구(WHO)의 연구에서도 목표 달성과 성취감이 정신적 건강에 미치는 영향을 강조한다. 이 연구에 따르면, 정기적으로 목표를 달성하는 사람들은 우울증과 불안 장애의 발생률이 30% 이상 낮다. WHO는 "목표 달성은 개인의 정신적 건강을 유지하고, 삶의 질을 향상시키는 중요한 요소"라고 밝혔다. 확실한 느낌의 법칙을 통해 목표 달성을 이미 이룬 것처럼 느끼는 것은 이러한 정신적 건강을 증진시키는 데 큰 도움이 된다.

하버드 대학교의 성취 연구에서는 목표 달성과 개인적 성취감의 관계를 조사했다. 이 연구는 목표를 설정하고 달성하는 과정이 개인의 자아실현과 깊은 연관이 있음을 발견했다. 연구를 이끈 로버트 키건(Robert Kegan)은 언급했다.

"목표를 달성하는 것은 자아실현의 중요한 부분이며, 이는 개인의 성장과 발전을 지속적으로 촉진한다."_로버트 키건

확실한 느낌의 법칙을 통해 자아실현을 이미 이룬 상태로 느끼는 것은 이러한 자아실현을 지속적으로 유지하는 데 도움이 된다.

캘리포니아 대학교의 연구에서는 목표 달성과 성취감이 개인의 행복에 미치는 영향을 조사했다. 이 연구에 따르면, 목표를 달성한 사람들은 그렇지 않은 사람들보다 전반적인 행복감이 40% 더 높다. 연구 책임자인 다처 켈트너는 밝혔다.

"목표 달성과 성취감은 개인의 행복을 증진시키는 중요한 요소이다."_다처 켈트너

확실한 느낌의 법칙을 통해 목표 달성을 이미 이룬 것처럼 느끼는 것은 이러한 행복감을 증진시키는 강력한 방법이다.

노벨상 수상자인 다니엘 카너먼은 목표 달성과 개인적 성취감의 관계를 연구하면서, "목표를 설정하고 달

성하는 과정은 개인의 자아실현과 밀접하게 연관되어
있다"고 말했다.

 "성취감을 느끼는 것은 일상적인 만족과 행복
을 지속적으로 증가시키는 열쇠이다."_다니엘 카
너먼

확실한 느낌의 법칙을 통해 목표 달성을 이미 이룬
상태로 느끼는 것은 이러한 성취감을 증진시키는 데
큰 도움이 된다.

목표 달성과 성취감을 느끼는 것은 개인의 성장과
발전, 그리고 전반적인 행복에 매우 중요한 요소이다.
글로벌 데이터와 연구들은 확실한 느낌의 법칙이 이러
한 목표 달성과 성취감을 더 빠르고 크게 느낄 수 있도
록 돕는 강력한 도구임을 보여준다. 매일 아침과 저녁
에 잠깐의 시간을 할애하여 목표를 달성한 상태를 시
각화하며 그 감정을 느껴보라. 이를 통해 더 큰 성취감
을 느끼고, 개인의 성장과 발전을 지속적으로 이루는
데 큰 도움이 될 것이다.

행복은 건강과 웰빙이다

확실한 느낌의 법칙은 건강한 신체와 정신을 유지하는 데도 큰 도움이 된다. 자신이 이미 건강하고 활기찬 상태라고 믿고 느끼는 것은 건강한 생활 습관을 유지하는 데 긍정적인 영향을 미친다. 글로벌 연구 데이터와 권위 있는 기관들의 조사 결과를 통해 이러한 법칙의 효과를 확인할 수 있다.

세계보건기구(WHO)에 따르면, 신체적, 정신적, 사회적으로 완전한 안녕 상태는 건강의 필수 요소이다. WHO의 보고서는 "건강한 생활 습관은 개인의 전반적인 웰빙을 크게 향상시킨다"고 강조한다. 규칙적인 운동, 올바른 식습관, 충분한 수면은 신체적, 정신적 건강을 유지하는 데 중요한 역할을 한다. 확실한 느낌의 법칙을 통해 이러한 건강 상태를 이미 이루었다고 느끼는 것은 실제로 건강을 유지하는 데 큰 도움이 된다.

미국 질병통제예방센터(CDC)의 연구에 따르면, 긍정적인 마음가짐은 신체적 건강에 직접적인 영향을 미친다. 이 연구는 긍정적인 태도를 가진 사람들이 그렇지 않은 사람들보다 20% 더 건강한 생활을 유지한다는 결과를 보여준다. 확실한 느낌의 법칙을 통해 자신이 이미 건강한 상태라고 느끼는 것은 이러한 긍정적인 태도를 강화하는 데 효과적이다.

노벨 생리학·의학상 수상자인 엘리자베스 블랙번(Elizabeth Blackburn)은 텔로미어 연구를 통해 긍정적인 마음가짐이 세포의 노화를 늦추는 데 중요한 역할을 한다고 밝혔다.

"긍정적인 심리 상태는 텔로미어 길이를 유지하며, 이는 세포의 노화를 늦추고 건강을 증진시키는 데 중요한 역할을 한다."_엘리자베스 블랙번

확실한 느낌의 법칙을 통해 긍정적인 심리 상태를 유지하는 것은 건강과 웰빙을 촉진하는 과학적 근거가 된다.

하버드 대학교의 연구에서는 긍정적인 시각화가 건강한 생활 습관을 유지하는 데 미치는 영향을 조사했다. 이 연구는 건강한 삶을 시각화하는 사람들이 그렇지 않은 사람들보다 건강한 생활 습관을 유지할 확률이 30% 더 높다고 밝혔다. 연구 책임자인 데이비드 싱

클레어(David Sinclair)는 말했다.

"긍정적인 시각화는 건강한 행동을 촉진하며, 이는 장기적으로 신체적 건강을 유지하는 데 도움이 된다."_데이비드 싱클레어

확실한 느낌의 법칙을 통해 이러한 시각화 과정을 더욱 효과적으로 활용할 수 있다.

캘리포니아 대학교의 연구에서는 정신적 건강과 긍정적인 감정의 관계를 조사했다. 연구에 따르면, 정기적으로 긍정적인 감정을 느끼는 사람들은 우울증과 불안 장애의 발생률이 40% 이상 낮다. 연구 책임자인 다처 켈트너는 "긍정적인 감정은 정신적 건강을 유지하는 데 중요한 요소"라고 언급했다. 확실한 느낌의 법칙을 통해 긍정적인 감정을 지속적으로 느끼는 것은 정신적 건강을 유지하는 데 큰 도움이 된다.

확실한 느낌의 법칙은 신체적, 정신적 건강을 유지하는 데 강력한 도구가 될 수 있다. 글로벌 데이터와 연구들은 이러한 법칙이 건강한 생활 습관을 유지하고, 정신적 웰빙을 증진시키는 데 큰 도움이 된다는 것을 보여준다. 매일 아침과 저녁에 잠깐의 시간을 할애하여 자신이 이미 건강한 상태라고 느끼며 시각화하는

것은 건강과 웰빙을 유지하는 데 큰 도움이 될 것이다.

행복은 감사와 긍정적인 태도이다

확실한 느낌의 법칙은 감사와 긍정적인 태도를 유지하는 데 중요한 역할을 한다. 작은 것에도 감사하며 긍정적인 태도를 유지하려고 노력하는 것은 행복을 증가시키는 데 매우 효과적이다. 감사 일기를 쓰거나 하루에 감사한 일 세 가지를 떠올리는 것처럼, 확실한 느낌의 법칙을 통해 이러한 감사의 마음을 더욱 강화할 수 있다. 이는 마음의 상태를 개선하고, 스트레스를 줄이며, 더 많은 긍정적인 경험을 불러일으킨다.

미국 심리학협회(APA)에 따르면, 감사의 마음을 표현하는 것은 개인의 심리적 웰빙을 크게 향상시킨다. 감사의 감정을 자주 느끼는 사람들은 그렇지 않은 사람들보다 25% 더 행복하다는 연구 결과가 있다. 이 연구는 감사 일기 쓰기와 같은 간단한 활동이 긍정적인 감정을 강화하고, 스트레스를 줄이며, 전반적인 삶의 질을 향상시킬 수 있음을 보여준다. 확실한 느낌의 법칙을 통해 이러한 감사를 이미 느끼고 있다고 상상하는 것은 긍정적인 효과를 더욱 극대화할 수 있다.

노벨 평화상 수상자인 달라이 라마는 말했다.

"감사와 연민은 마음의 평화와 행복의 열쇠이다."_달라이 라마

달라이 라마의 가르침은 감사의 마음을 유지하는 것이 어떻게 우리의 삶에 긍정적인 영향을 미치는지를 잘 설명해 준다. 그는 감사와 긍정적인 태도가 인간관계를 개선하고, 마음의 평화를 가져다준다고 강조한다. 확실한 느낌의 법칙을 통해 이러한 감정을 느끼고, 표현하는 것은 마음의 평화와 행복을 증진시킬 수 있다.

하버드 대학교의 연구에서는 감사와 긍정적인 태도가 건강과 행복에 미치는 영향을 조사했다. 연구 결과, 감사하는 마음을 자주 표현하는 사람들은 신체적 건강이 더 좋고, 스트레스 수준이 낮으며, 더 행복하다는 것이 밝혀졌다. 연구 책임자인 로버트 에먼스(Robert Emmons)는 설명했다.

"감사와 긍정적인 태도는 우리의 정신적, 신체적 건강을 크게 향상시킬 수 있다."_로버트 에먼스

확실한 느낌의 법칙을 통해 이러한 감사의 마음을

이미 느끼고 있다고 상상하는 것은 건강과 행복을 더욱 증진시킬 수 있다.

세계보건기구(WHO)의 조사에 따르면, 감사와 긍정적인 태도를 유지하는 사람들은 그렇지 않은 사람들보다 우울증과 불안 장애의 발생률이 30% 낮다. WHO는 "긍정적인 태도와 감사의 마음은 정신적 건강을 유지하는 데 중요한 요소"라고 강조한다. 확실한 느낌의 법칙을 통해 이러한 긍정적인 태도를 강화하는 것은 정신적 건강을 유지하는 데 큰 도움이 된다.

미국 캘리포니아 대학교의 연구에서는 감사의 마음이 인간관계에 미치는 영향을 조사했다. 연구에 따르면, 감사의 마음을 자주 표현하는 사람들은 인간관계에서 더 큰 만족감을 느끼고, 더 깊고 의미 있는 관계를 형성한다고 밝혔다. 연구 책임자인 다처 켈트너는 말했다.

"감사와 긍정적인 태도는 인간관계를 강화하고, 삶의 만족도를 높이는 중요한 요소이다."_다처 켈트너

확실한 느낌의 법칙을 통해 이미 감사와 긍정적인

태도를 유지하고 있다고 느끼는 것은 인간관계를 더욱 깊고 의미 있게 만들 수 있다.

긍정 심리학의 창시자인 마틴 셀리그먼은 말했다.

"긍정적인 감정은 우리의 삶을 풍요롭게 하고, 더 나은 미래를 만들기 위한 힘을 제공한다."_ 마틴 셀리그먼

셀리그먼의 연구는 긍정적인 태도와 감사의 마음이 어떻게 우리의 삶에 긍정적인 변화를 가져오는지를 잘 설명한다. 확실한 느낌의 법칙을 통해 이러한 긍정적인 감정을 더욱 강화하는 것은 우리의 삶을 더욱 풍요롭게 만들 수 있다.

감사와 긍정적인 태도는 행복과 웰빙을 증진시키는 데 매우 중요한 요소이다. 글로벌 데이터와 연구들은 확실한 느낌의 법칙이 이러한 감정들을 더 빠르고 크게 느낄 수 있도록 돕는 강력한 도구임을 보여준다. 매일 아침과 저녁에 잠깐의 시간을 할애하여 감사하고 긍정적인 감정을 시각화하며 느껴보라. 이를 통해 마음의 상태를 개선하고, 삶의 질을 높이는 데 큰 도움이 될 것이다.

ONE KEY POINT

✓ 확실한 느낌의 법칙은 내적 만족과 평온을 유지하는 데 중요한 역할을 하며, 이는 행복의 핵심 요소이다. 이를 통해 자신이 원하는 상태를 이미 이루었다고 느끼는 과정에서 마음의 평화를 얻고, 큰 행복을 느낄 수 있다.

✓ 확실한 느낌의 법칙은 신뢰와 소통을 통해 인간관계를 개선하는 데 매우 유용하며, 좋은 인간관계는 행복의 중요한 부분이다. 이미 좋은 인간관계를 맺고 있다고 느끼는 것은 실제 관계 개선에 큰 도움이 되고, 이를 통해 더 큰 행복을 느낄 수 있다.

✓ 확실한 느낌의 법칙을 통해 자신이 설정한 목표를 이미 이루었다고 느끼는 것은 동기부여와 에너지를 제공하며, 성취감은 행복의 중요한 요소이다. 목표를 달성한 사람들은 더 큰 만족감을 느끼며, 이는 행복으로 이어진다.

✔ 확실한 느낌의 법칙은 신체적, 정신적 건강을 유지하는 데 큰 도움이 되며, 건강과 웰빙은 행복의 필수 요소이다. 자신이 이미 건강하고 활기찬 상태라고 믿고 느끼는 것은 건강한 생활 습관을 유지하는 데 긍정적인 영향을 미쳐, 행복을 증진시킨다.

✔ 확실한 느낌의 법칙은 감사와 긍정적인 태도를 유지하는 데 중요한 역할을 하며, 이는 행복을 증가시키는 데 매우 효과적이다. 작은 것에도 감사하며 긍정적인 태도를 유지하는 것은 마음의 상태를 개선하고, 더 큰 행복을 가져다준다.

✔ 확실한 느낌의 법칙을 통해 사회에 기여하고 균형 잡힌 삶을 살 수 있으며, 이는 행복을 증진시키는 중요한 요소이다. 자선활동과 봉사활동을 통해 타인에게 긍정적인 영향을 미치는 것은 삶의 만족도와 의미를 더욱 풍부하게 하여, 행복을 느끼게 한다.

인생의 원키

인생의 키를 손에 쥐다

인생의 키는 당신이 이미 손에 쥐고 있다. 그 키는 모든 키의 제왕인 "절대키(The One Key)"다. 절대키는 세상에서 가장 강력한 힘인 "확실한 느낌의 법칙"이다. 이 자연의 섭리를 통해 당신의 목표와 꿈을 현실로 만드는 것이다. 당신이 지금까지 보아온 모든 실제 사례들이 말해준다. 유명한 사람과 평범한 사람 모두 이 법칙을 활용하였다. 그래서 그들은 자기 실현, 의미와 목적 추구, 자율성과 통제, 성취감과 만족감을 이루어 냈다. 또 그들은 행복 추구, 사회적 인식과 인정, 유산과 영향력을 이루어 냈다. 그들은 자신의 인생을 스스로 설계하였다. 그리고 자신의 꿈을 실현시켰다. 더 나아가 세상에 긍정적인 변화를 일으켰다.

이제 당신 차례다.

남이 정해준 인생이 아닌, 당신이 주체가 되어 당신
이 원하는 삶을 사는 것이다. 그러기 위해서 확실한 느
낌의 법칙을 활용하는 것이다. 자신이 이미 꿈을 이룬
모습을 마음속에 그리며, 그 느낌을 굳게 믿어라. 거기
에 확실한 느낌을 강화하라. 원하는 것을 실제로 이룰
때까지 말이다. 목표를 설정하고, 매일 아침과 저녁으
로 그 목표가 이미 이루어진 것처럼 시각화해라. 그리
고 그 확실한 느낌을 느껴보라. 이는 단지 상상이 아니
라, 실제로 당신의 행동과 결심에 변화를 가져온다.

당신의 인생이 당신이 원하는 대로 펼쳐지기를 원하
는가? 그러면, 지금 당장 시작하라.

자기 실현의 욕구를 충족하며, 의미와 목적을 찾고,
자율성과 통제감을 가져라. 성취감과 만족을 느끼고,
행복을 추구하며, 사회적 인식과 인정을 받아라. 그리
고 긍정적인 유산과 영향을 남겨라. 당신의 삶은 무한
한 가능성을 가지고 있다. 그 가능성을 현실로 만들 수
있는 힘은 바로 당신 안에 있다. 확실한 느낌의 법칙의
힘이다.

마음속에 확실한 느낌을 품고, 그 느낌을 강화하라.
매일 한 걸음씩 나아가게 된다. 그러면 어느 순간 깨달

게 된다. 당신은 자신이 꿈꿔온 삶보다 더욱 충만하고 풍요로운 삶을 이미 살고 있다는 것을!

인생의 키는 지금 당신의 손에 있다. 지금 당장, 그 키를 사용하여 당신만의 보물 상자를 열어라. 그리고 그 안에 담긴 무한한 가능성과 꿈을 향해 나아가라. 당신의 인생은 지금부터 시작이다.

인생의 7 가지 원동력

인생의 원키로 자기 실현의

욕구를 충족하며 산다

인간은 자기 실현을 추구하는 본능적인 욕구를 가지고 있다. 아브라함 매슬로우는 그의 욕구 단계 이론에서 자아실현을 최상위 욕구로 정의했다. 사람들은 자신의 잠재력을 최대한 발휘하고, 삶에서 최대한의 만족감을 얻기 위해 자신의 목표와 꿈을 실현하고자 한다.

제임스 카메론은 할리우드의 유명한 영화 감독으로, 혁신적인 영화 제작과 강력한 비전으로 유명하다. 그의 작품인 '터미네이터'와 '타이타닉' 그리고 '아바타'는 모두 영화사에 큰 획을 그은 작품들이다. 하지만 그의 성공은 단순히 운이나 재능만으로 이루어진 것이 아니다. 카메론은 확실한 느낌의 법칙을 활용하여 자신의 꿈을 현실로 만들었다.

카메론은 어린 시절부터 공상과학과 영화에 대한 열정을 가지고 있었다. 그는 자신의 머릿속에 떠오르는 영상을 실제로 만들어내는 것을 꿈꿨다. "터미네이터"를 제작할 당시, 그는 아직 무명이었고, 많은 사람들이 그의 비전을 의심했다. 하지만 카메론은 자신이 이미 성공한 감독이라고 굳게 확실한 느낌을 간직했다.

"나는 항상 내가 만들어낼 영화를 마음속에 그리며, 그 성공을 확실하게 느꼈다."_제임스 카메론
"확실한 느낌은 나에게 엄청난 동기부여를 주었고, 내가 믿는 바를 현실로 만드는 힘을 주었다."_제임스 카메론

사라 존슨은 작은 마을에서 자라난 평범한 주부였다. 그녀는 항상 요리에 대한 열정을 가지고 있었지만, 이를 직업으로 삼을 용기가 부족했다. 그러던 어느 날, 사라는 확실한 느낌의 법칙에 대해 알게 되었고, 자신의 요리 실력을 더 많은 사람들과 나누고 싶다는 꿈을 다시 품게 되었다.

사라는 매일 아침과 저녁으로 자신이 유명한 요리사가 되어 많은 사람들에게 사랑받는 모습을 상상했다. 그녀는 자신이 이미 성공한 모습을 마음속에 그리며, 그 느낌을 확실하게 믿었다. 작은 농산물 시장에서 시작한 그녀의 요리는 점점 더 많은 사람들에게 인기를 끌었고, 결국 그녀는 자신의 요리책을 출판하게 되었다.

사라는 "내가 성공할 수 있었던 이유는 내가 이미 성공한 모습을 매일 상상하고, 그 느낌을 확실하게 믿었기 때문이다"라고 말했다. 그녀의 이야기는 우리가 확실한 느낌의 법칙을 통해 자기 실현의 욕구를 충족시키고, 꿈을 현실로 만들 수 있음을 보여준다.

인생의 원키로 의미와 목적
추구의 욕구 충족하며 산다

빅터 프랭클은 그의 저서 "죽음의 수용소에서"에서

인간이 삶의 의미를 찾고자 하는 본능적인 욕구가 있다고 설명했다. 사람들은 자신의 삶에 의미와 목적을 부여하기 위해, 자신이 원하는 방향으로 인생을 펼치기를 원한다. 이러한 의미와 목적은 개인의 행복과 삶의 질을 크게 향상시킨다.

헬렌 켈러는 시각과 청각 장애를 극복하고 세계적인 작가, 강연가, 인권운동가로 성장한 인물이다. 켈러는 삶의 의미와 목적을 추구하며, 확실한 느낌의 법칙을 통해 자신의 꿈을 이루었다. 그녀는 자신이 장애를 극복하고 많은 사람들에게 희망을 주는 모습을 마음속에 그리며, 그 감정을 굳게 믿었다.

켈러는 어릴 때 병으로 인해 시각과 청각을 잃었다. 그러나 그녀의 강한 의지와 교사 앤 설리번의 도움으로 글을 배우고, 세상과 소통할 수 있게 되었다. 그녀는 자신의 경험을 바탕으로 많은 사람들에게 영감을 주는 강연과 글을 남겼다.

"나는 내가 이룬 모든 성과를 이미 마음속에 그리며, 그것에 대해 확실한 느낌이 있었기에 가능했다."_헬렌 켈러

켈러는 자신의 삶을 통해 다른 사람들에게 희망과 용기를 주기 위해 끊임없이 노력했다. 그녀는 "희망이란 마음속에 품은 꿈을 믿는 것이다. 나는 그 꿈에 확실한 느낌이 있었고, 그것이 나를 여기까지 이끌었다"라고 말했다. 이러한 확신은 그녀에게 엄청난 힘을 주었고, 결국 그녀는 전 세계에 감동을 주는 인물이 되었다.

데이비드 밀러는 작은 마을에서 태어나 평범한 회사원으로 일하고 있었다. 그는 항상 사람들에게 도움을 주고, 자신의 삶에 의미를 부여하고자 하는 열망을 가지고 있었다. 그러나 그는 자신의 목표를 어떻게 이룰 수 있을지 몰랐다. 그러던 어느 날, 그는 확실한 느낌의 법칙을 알게 되었다.

밀러는 매일 아침과 저녁으로 자신이 많은 사람들에게 긍정적인 영향을 미치는 모습을 시각화하며, 그 확실한 느낌을 굳게 믿었다. 그는 자원봉사 활동을 시작하며, 지역 사회에서 필요한 사람들을 돕기 시작했다. 작은 노력들이 모여, 그는 점점 더 많은 사람들에게 도움을 주고, 그로 인해 자신의 삶에 의미와 목적을 찾게 되었다.

밀러는 "내가 성공할 수 있었던 이유는 내가 이미 많은 사람들에게 긍정적인 영향을 미치는 모습을 매일 상상하고, 그 느낌을 확실하게 믿었기 때문이다"라고 말했다. 그의 이야기는 우리가 확실한 느낌의 법칙을 통해 의미와 목적을 추구하며, 행복한 인생을 살 수 있음을 보여준다.

자율성과 통제 욕구 충족하며 산다

에드워드 데시와 리차드 라이언의 '자율성 이론'에서는 인간이 자율성과 통제감을 느낄 때 더 높은 수준의 동기부여와 만족감을 느낀다고 주장한다. 사람들은 자신의 인생이 자신의 선택에 의해 좌우되기를 원한다. 이를 통해 자신의 삶에 대한 통제감을 얻고자 한다.

스티브 잡스는 애플을 공동 창립하고, 개인용 컴퓨터 혁명을 이끈 인물이다. 그는 평소에 자신의 인생이 자신의 선택에 의해 좌우되기를 원했다. 그리고 확실한 느낌의 법칙을 통해 자신의 비전을 실현했다. 잡스는 항상 자율성과 통제감을 중요시하였다. 그리고 그 힘으로 혁신적인 제품을 만들어 세상을 변화시키고자 했다.

1976년, 잡스는 친구 스티브 워즈니악과 함께 애플을 설립했다. 그는 컴퓨터 산업에 대한 혁신적인 비전을 가지고 있었고, 이를 실현하기 위해 확실한 느낌의 법칙을 활용했다. 잡스는 자신이 개발하는 제품이 세상을 바꿀 것이라는 확신을 가졌고, 매일 그 감정을 느끼며 일했다.

"내가 성공할 수 있었던 이유는 내가 이미 성공한 모습을 매일 상상하고, 그 느낌을 확실하게 믿었기 때문이다."_스티브 잡스

잡스는 자율성과 통제감을 바탕으로, 끊임없이 혁신을 추구했다. 그의 비전과 확신은 결국 애플을 세계 최고의 기술 회사로 성장시키는 원동력이 되었다. "내 인생의 모든 선택이 내가 원하는 방향으로 흘러가도록 만드는 것은 나의 자율성과 통제감 덕분이다"라고 그

는 언급했다. 잡스의 이야기는 우리가 확실한 느낌의 법칙을 통해 자율성과 통제감을 가지고, 자신의 인생을 원하는 대로 이끌어 갈 수 있음을 보여준다.

마리아는 작은 마을에서 교사로 일하는 평범한 사람이다. 그녀는 항상 자신의 인생이 자신의 선택에 의해 결정되기를 원했다. 이를 통해 자신의 삶에 대한 통제감을 얻고자 했다. 하지만 학교와 가정 사이에서 바쁜 일상 속에 항상 마음의 여유가 부족했다. 그러던 중, 그녀는 확실한 느낌의 법칙을 알게 되었다.

마리아는 매일 아침과 저녁으로 자신의 삶이 원하는 대로 흘러가는 모습을 시각화하며, 그 감정을 굳게 믿었다. 그녀는 학교에서 더 나은 교육 환경을 만들고, 학생들에게 긍정적인 영향을 미치고자 하는 목표를 설정했다. 매일 이러한 목표를 상상하며, 자신의 비전을 믿었다.

그녀는 학교 내에서 작은 변화를 시도하기 시작했다. 학생들과의 소통을 늘리고, 수업 방식을 개선하며, 더 많은 창의적 활동을 도입했다. 그녀의 노력은 점점 더 많은 성과를 가져왔고, 학생들과의 관계도 좋아졌다. "내가 이 모든 변화를 이끌 수 있었던 이유는 내가 이미 변화된 모습을 매일 상상하고, 그 느낌을 확실하게 믿었기 때문이다"라고 그녀는 말했다.

마리아의 이야기는 우리가 확실한 느낌의 법칙을 통해 자율성과 통제감을 가지고, 자신의 인생을 원하는 대로 이끌어 갈 수 있음을 보여준다. 그녀는 자신의 선택이 어떻게 인생을 변화시킬 수 있는지를 깨닫고, 이를 통해 더욱 만족스러운 삶을 살게 되었다.

인생의 원키로 성취감과 만족감 충족하며 산다

사람들은 자신의 목표를 달성함으로써 성취감과 만족감을 느끼고자 한다. 목표를 설정하고 이를 이루는 과정은 개인의 자존감을 높이고, 자기 효능감을 강화시킨다. 이는 앨버트 반두라의 '사회적 인지 이론'에서 설명된 바 있다. 성취감과 만족감은 개인의 행동에 대한 자신감을 증진시키고, 더 큰 목표를 향해 나아가도록 한다.

제프 베이조스는 아마존을 창립하고 세계 최대의 온라인 소매업체로 성장시킨 인물이다. 그는 처음부터 큰 목표를 설정하고 이를 달성함으로써 성취감과 만족감을 느꼈다. 그의 목표는 단순히 온라인 서점을 만드는 것이 아니라, 세계 최대의 전자 상거래 플랫폼을 구축하는 것이었다.

1994년, 베이조스는 직장을 그만두고 아마존을 설립했다. 그는 인터넷의 잠재력을 믿었고, 이 새로운 시장에서 혁신을 이루겠다는 강력한 비전을 가지고 있었다. 그의 비전은 단순히 제품을 판매하는 것이 아니라, 고객 경험을 극대화하는 것이었다. 베이조스는 매일 자신의 목표가 이미 이루어진 것처럼 상상하며 그 감정을 확실히 믿었다.

베이조스는 앨버트 반두라의 사회적 인지 이론에 따라 자기 효능감을 강화했다. 그는 작은 목표들을 설정하고, 이를 하나씩 달성하면서 자신감을 키워갔다. 아마존이 점점 성장하며 성공을 거두자, 그는 더 큰 목표를 설정하고 이를 달성하기 위해 끊임없이 노력했다.

"나는 매일 내 목표를 시각화하고, 이미 이루어

진 것처럼 느꼈다. 이 확실한 느낌이 나를 성공
으로 이끌었다."_제프 베이조스

결국, 그의 노력과 비전은 결실을 맺어 아마존은 세
계 최대의 온라인 소매업체로 성장했다. 베이조스는
자신의 목표를 달성함으로써 큰 성취감과 만족감을 느
꼈다. 이는 그에게 더 큰 도전과 목표를 향해 나아가도
록 했다. 그의 이야기는 목표를 달성함으로써 성취감
과 만족감을 느끼고, 더 큰 목표를 향해 나아가는 힘을
보여준다.

앤디는 작은 마을에서 정비사로 일하는 평범한 사람
이다. 그는 항상 자신의 목표를 이루고 성취감과 만족
감을 느끼고자 했지만, 일상의 바쁨과 스트레스 속에
서 쉽게 좌절하곤 했다. 그러나 어느 날, 그는 확실한
느낌의 법칙을 알게 되었다.

앤디는 자신의 삶을 바꾸기로 결심하고, 작은 목표
를 설정하기 시작했다. 첫 번째 목표는 정비소의 효율
성을 높이는 것이었다. 그는 매일 아침과 저녁으로 자
신의 목표가 이미 이루어진 것처럼 상상하며 그 감정
을 확실하게 믿었다. 그는 정비소의 정리정돈을 개선
하고, 고객 서비스의 질을 높이기 위해 노력했다.

앨버트 반두라의 사회적 인지 이론에 따르면, 작은 목표를 달성함으로써 자기 효능감이 강화된다고 한다. 앤디는 작은 목표를 하나씩 달성하며 자신감을 키워갔다. 고객들의 만족도가 높아지고, 정비소의 수익이 증가하자 그는 더 큰 목표를 설정하고 이를 달성하기 위해 노력했다. "내가 이 모든 변화를 이끌 수 있었던 이유는 내가 이미 변화된 모습을 매일 상상하고, 그 느낌을 확실하게 믿었기 때문이다"라고 앤디는 말했다.

그는 더 많은 고객을 유치하기 위해 지역사회에 적극적으로 참여하고, 정비소의 명성을 높이는 데 주력했다. 그의 노력은 결실을 맺어, 정비소는 지역에서 가장 인기 있는 정비소가 되었다. 앤디는 자신의 목표를 달성함으로써 큰 성취감과 만족감을 느꼈고, 이는 그에게 더 큰 도전과 목표를 향해 나아가는 힘을 주었다.

앤디의 이야기는 목표를 달성함으로써 성취감과 만족감을 느끼고, 더 큰 목표를 향해 나아가는 힘을 보여준다. 평범한 사람이라도 확실한 느낌의 법칙을 통해 자신의 삶을 변화시키고, 큰 성취감을 느낄 수 있음을 증명한다.

인생의 원키로 행복 추구하고 산다

마틴 셀리그먼의 긍정 심리학 이론에서는 인간이 행복을 추구하는 본능적인 욕구가 있다고 설명한다. 사람들은 자신의 삶이 자신이 원하는 방향으로 펼쳐질 때 더 큰 행복과 만족을 느낀다. 이는 긍정적인 감정, 몰입, 의미, 성취, 그리고 긍정적인 관계로 구성된 페르마(PERMA) 모델과도 일치한다.

2024년, 전 세계에서 가장 영향력 있는 작가 중 한 명인 JK 롤링은 '해리 포터' 시리즈로 유명하다. 그녀의 여정은 단순한 문학적 성공을 넘어서, 자신의 인생을 자신이 원하는 방향으로 펼쳐나가며 큰 행복과 만족을 느끼는 이야기이다.

롤링은 어린 시절부터 글쓰기에 대한 열정을 품고 있었다. 그러나 그녀의 삶은 쉽지 않았다. 결혼 생활의 실패와 경제적인 어려움으로 인해 많은 고통을 겪어야 했다. 그러나 그녀는 자신의 꿈을 포기하지 않았다. 롤링은 확실한 느낌의 법칙을 활용하여, 자신이 이미 성공한 작가인 것처럼 느끼며 매일 글을 썼다.

　매일 아침, 롤링은 자신이 만든 마법의 세계에서 사람들에게 영감을 주는 모습을 상상했다. "나는 마법 세계를 창조하고, 사람들에게 희망과 기쁨을 주는 작가가 될 것이다"라고 스스로에게 다짐했다. 그녀는 작가로서의 성공을 마음속에 그리며, 그 확신을 가지고 끊임없이 글을 썼다.

　그녀의 확신과 열정은 결국 '해리 포터' 시리즈의 성공으로 이어졌다. 첫 번째 책이 출판되기 전까지 많은 출판사에서 거절을 당했지만, 롤링은 결코 포기하지 않았다. 그녀의 꿈을 향한 확신과 열정은 '해리 포터' 시리즈가 세계적인 베스트셀러가 되는 데 큰 역할을 했다. 롤링은 자신의 꿈을 실현하면서 몰입과 성취, 그리고 큰 의미를 찾았다.

　"내가 꿈꾸던 이야기를 실현할 수 있었던 이유는, 내가 이미 그 이야기를 통해 사람들에게 감동을 주고 있다고 확실히 느꼈기 때문이다."_J.K. 롤링 그녀의 이야기는 확실한 느낌의 법칙을 통해 자신의 삶을 원하는 방향으로 펼쳐나가며, 행복과 만족을 찾는 과정에서의 성공적인 사례이다.

에밀리 존슨은 평범한 가정주부로, 일상 속에서 행복을 찾고자 하는 많은 사람들 중 하나였다. 그녀는 가족과 함께하는 시간을 소중히 여기며, 작은 일상에서 의미와 행복을 찾기 위해 노력했다. 하지만 바쁜 일상과 끊임없는 집안일로 인해 종종 지치고 무기력함을 느끼곤 했다.

어느 날, 에밀리는 확실한 느낌의 법칙에 대해 알게 되었다. 그녀는 자신의 삶을 더 행복하고 만족스럽게 만들기 위해 이 법칙을 실천해보기로 결심했다. 그녀는 매일 아침, 자신이 이미 행복하고 만족스러운 삶을 살고 있다고 상상하며, 그 느낌을 마음속 깊이 느꼈다. "나는 매일 행복하고, 가족과 함께하는 시간이 너무 소중해"라고 속삭였다.

에밀리는 집안일을 하면서도 긍정적인 감정을 유지하려고 노력했다. 설거지를 할 때면 "나는 깨끗한 집에서 가족과 함께 행복한 시간을 보내고 있어"라고 상상하며 기쁨을 느꼈다. 아이들과 놀 때는 "나는 이 순간이 너무 행복해"라고 생각하며, 몰입과 즐거움을 찾았다.

확실한 느낌의 법칙을 실천한 지 몇 주 후, 에밀리는 자신의 삶이 눈에 띄게 변화하는 것을 느꼈다. 그녀는 가족과의 관계가 더욱 돈독해지고, 작은 일상에서도 큰 만족감을 느끼기 시작했다. 그녀는 남편과 함께 요리하며 즐거움을 찾고, 아이들과 함께 책을 읽으며 의미 있는 시간을 보냈다.

에밀리는 "내가 행복할 수 있었던 이유는, 내가 이미 행복하다고 믿고 그 느낌을 유지했기 때문이다"라고 말했다. 그녀의 이야기는 평범한 사람도 확실한 느낌의 법칙을 통해 자신의 삶을 원하는 방향으로 펼쳐나가며, 큰 행복과 만족을 찾을 수 있음을 보여준다.

이 두 사례는 인간이 자신의 삶이 자신이 원하는 방향으로 펼쳐질 때 더 큰 행복과 만족을 느낀다는 실질적인 예시이다. 당신은 확실한 느낌의 법칙을 통해 당신 삶에 의미와 목적을 부여할 수 있다. 더불어 당신이 인생에서 기대하는 것보다 더 큰 행복과 만족을 느낄 수 있다.

인생의 원키로 사회적 인식과

인정받으며 산다

당신은 자신이 원하는 방향으로 삶을 살아가며, 사회적 인식과 인정을 받고자 한다. 이는 에리히 프롬의 이론에서 설명된 바와 같이, 인간은 누구나 사회적 존재로서 다른 사람들로부터 인정받고, 존경받기를 원한다는 것을 의미한다. 자신의 목표를 달성하고, 이를 통해 사회적으로 인정받는 것은 개인의 자존감을 높이는 중요한 요소이다.

말라라 유사프자이는 여성 교육의 권리와 평등을 위한 투쟁으로 세계적으로 알려진 인물이다. 파키스탄에서 태어난 그녀는 어린 나이에 탈레반의 억압 속에서도 소녀들이 교육받을 권리를 옹호하기 시작했다. 말라라는 자신의 삶을 교육을 통해 여성의 권리를 지키고자 하는 목표에 맞추었다.

탈레반의 위협에도 굴하지 않고, 말라라는 블로그를 통해 자신의 목소리를 내기 시작했다. 그녀는 소녀들이 학교에 갈 수 있도록 해달라고 요청하며, 교육의 중요성을 강조했다. 그러나 그녀의 용기와 목소리는 탈레반의 눈에 거슬렸고, 결국 2012년 10월 탈레반의 총격을 받았다. 말라라는 극적으로 목숨을 건졌고, 이 사건은 전 세계에 큰 충격을 주었다.

말라라의 이야기는 국제 사회의 주목을 받았고, 그녀는 전 세계적으로 인정받는 인물이 되었다. 그녀는 회복 후에도 교육의 중요성을 강조하며, 여러 국제 무대에서 연설을 하며 자신의 사명을 계속 이어갔다. 2014년, 그녀는 노벨 평화상을 수상하며, 가장 어린 노벨상 수상자가 되었다.

"내가 살아남은 이유는 소녀들이 교육받을 권리를 위해 싸우기 위해서다. 내가 확실한 느낌으로 믿고 있는 이 목표는 내 인생의 모든 것이다."_말라라 유사프자이

그녀의 사례는 확실한 느낌의 법칙을 통해 자신의 목표를 이루고, 사회적 인식과 인정을 받는 과정에서의 성공적인 사례이다.

마이크는 작은 마을에서 평범한 사무직으로 일하던

사람이었다. 그는 매일 반복되는 일상에 지쳐갔다. 마이크는 자신이 좋아하는 일을 하면서 사회적으로 인정받고 싶다는 꿈을 꾸었다. 그는 항상 음악에 대한 열정을 가지고 있었지만, 음악가로서 성공할 수 있을지에 대한 두려움 때문에 시도조차 하지 않았다.

어느 날, 마이크는 확실한 느낌의 법칙을 알게 되었다. 그는 자신의 꿈을 실현하기 위해 확실한 느낌의 법칙을 실천하기로 결심했다. 매일 아침, 마이크는 자신이 무대에서 연주하고, 관객들의 환호를 받는 모습을 시각화했다. 그는 "나는 훌륭한 음악가가 될 것이다"라고 확실한 느낌을 믿으며, 그 감정을 마음속 깊이 느꼈다.

마이크는 일을 마친 후 저녁마다 음악을 연습하기 시작했다. 그는 지역 커피숍과 작은 공연장에서 연주를 시작했고, 점차 그의 음악을 듣고 감동하는 사람들이 늘어났다. 그의 음악에 대한 열정과 확신은 관객들에게 전달되었고, 마이크는 점차 지역 사회에서 인정받기 시작했다.

몇 년 후, 마이크는 지역 음악 축제에서 큰 무대에 오를 기회를 얻게 되었다. 그의 공연은 큰 호응을 얻었고, 그는 지역 신문에 소개되며 명성을 쌓기 시작했다.

마이크는 "내가 음악가로서 성공할 수 있었던 이유는, 내가 이미 무대에서 사람들에게 감동을 주고 있다고 확실한 느낌을 믿었기 때문이다"라고 말했다.

이제 마이크는 지역 사회에서 존경받는 음악가로 자리 잡았다. 그는 자신의 꿈을 이루며, 사회적으로도 인정을 받았다. 마이크의 이야기는 확실한 느낌의 법칙을 통해 자신의 인생을 원하는 방향으로 바꾸고, 사회적 인식과 인정을 받는 과정에서의 성공적인 사례이다.

인생의 원키로 유산과 영향력을 미치며 산다

당신은 자신의 삶을 통해 긍정적인 영향을 미치고, 지속 가능한 유산을 남기기를 원한다. 이는 자신의 인생이 가치 있고 의미 있는 것이었음을 증명하는 방법이다. 예를 들어, 당신은 자선 활동, 사회적 기여, 창작 활동 등을 한다. 이것을 통해 자신이 원하는 방향으로 인생을 펼쳐 나가는 것은 다른 사람들에게 긍정적인 영향을 미친다. 그리고 자신이 남긴 유산을 통해 오랫동안 기억되기를 바란다. 이렇게 당신의 인생이 가치 있고, 의미 있다고 증명하고 싶은 것이다.

마더 테레사는 인도에서 가난하고 병든 사람들을 위해 헌신한 수녀로, 전 세계적으로 존경받는 인물이다. 그녀는 자신의 삶을 통해 긍정적인 영향을 미치고, 지속 가능한 유산을 남기기를 원했다. 마더 테레사는 인도 캘커타에서 '사랑의 선교회'를 설립하여, 가장 소외된 사람들을 돌보며 그들의 고통을 덜어주는 일에 평생을 바쳤다.

어린 시절, 테레사는 가난한 사람들을 도우며 그들과 함께하는 삶을 꿈꿨다. 그녀는 확실한 느낌의 법칙을 통해 자신이 이미 그들의 고통을 덜어주고 있다고 느끼며, 매일 그 감정을 마음속에 새겼다.

 "사랑은 작은 일에서 시작된다. 우리는 작은 일들을 큰 사랑으로 해야 한다."_마더 테레사

그녀의 확신과 헌신은 많은 사람들에게 큰 감동을 주었고, 그녀의 사역은 전 세계적으로 알려지게 되었

다. 마더 테레사는 1979년 노벨 평화상을 수상하며, 자신의 삶을 통해 긍정적인 영향을 미치고자 하는 목표를 이루었다. 그녀는 "내가 이 세상에서 남기고 싶은 유산은 사랑과 희망이다"라고 말했다. 그녀의 유산은 지금도 전 세계 수많은 사람들에게 영감을 주고 있다.

수잔은 작은 마을에 사는 평범한 주부였다. 그녀는 자신의 삶이 단순히 가정과 일상에 묶여 있는 것이 아니라, 더 큰 의미와 영향을 미치기를 원했다. 수잔은 지역 사회에서 자원 봉사 활동을 통해 긍정적인 영향을 미치고, 지속 가능한 유산을 남기고자 결심했다.

수잔은 매일 아침, 자신이 지역 사회에서 긍정적인 변화를 이끌어내고 있는 모습을 시각화했다. 그녀는 "나는 우리 마을의 아이들에게 더 나은 미래를 제공할 것이다"라고 믿으며, 그 감정을 마음속에 깊이 새겼다. 그녀는 지역 아동 센터에서 자원 봉사를 시작했고, 아이들에게 교육과 지원을 제공하며 그들의 삶에 변화를 주기 시작했다.

수잔의 헌신과 노력은 점차 지역 사회에서 인정받기 시작했다. 그녀는 마을 주민들로부터 존경과 지지를 받았고, 그녀의 활동은 많은 사람들에게 긍정적인 영향을 미쳤다. 수잔은 "내가 이 마을에 남기고 싶은 유산은 아이들에게 더 밝은 미래를 제공하는 것이다"라고 말했다.

수잔의 이야기는 확실한 느낌의 법칙을 통해 자신의 인생을 원하는 방향으로 펼쳐 나가며, 사회에 긍정적인 영향을 미치고 지속 가능한 유산을 남기는 과정에서의 성공적인 사례이다. 그녀의 헌신은 지금도 계속되어, 더 많은 사람들이 자원 봉사 활동에 참여하게 만들고 있다. 수잔은 "작은 행동이지만, 그 하나하나가 모여 큰 변화를 이룰 수 있다"라고 말하며, 사람들에게 지속 가능한 유산을 남기기 위한 긍정적인 변화를 촉구한다.

지금까지 우리는 인생을 계속 살아가게 하는 7가지 원동력을 살펴보았다. 자아실현, 의미와 목적 추구, 자율성과 통제 욕구, 성취감과 만족감, 행복 추구, 사회적 인식과 인정, 그리고 유산과 영향력 등의 다양한 원동력에 의해 당신은 인생을 살아 간다. 이러한 욕구는 인간의 본성에 깊이 뿌리 박혀 있으며, 당신의 삶을 더 풍요롭고 만족스럽게 만드는 원동력이 된다.

ONE KEY POINT

✓ 자신이 원하는 목표와 꿈을 실현하며 삶에서 최대한의 만족감을 얻어라. 확실한 느낌의 법칙을 통해 이미 목표를 이룬 모습을 상상하고 그 느낌을 굳게 믿으면, 인생의 모든 가능성을 현실로 만들 수 있다.

✓ 인생에서 의미와 목적을 찾고, 자신이 원하는 방향으로 삶을 펼쳐라. 확실한 느낌의 법칙을 통해 자신이 이미 의미 있고 목적 있는 삶을 살고 있다고 믿으면, 삶의 질과 행복을 크게 향상시킬 수 있다.

✓ 자신의 선택에 의해 인생이 좌우되기를 원하며 자율성과 통제감을 느껴라. 확실한 느낌의 법칙을 통해 자신이 원하는 방향으로 인생을 이끌어 가고 있다고 믿으면, 더 큰 만족감과 성취감을 느낄 수 있다.

✓ 목표를 달성함으로써 성취감과 만족감을 느끼고, 자신감을 키워라. 확실한 느낌의 법칙을 통해 이미 목표를 이룬 상태를 상상하고 그 느낌을 믿으면, 인생에서 더 큰 성공을 이룰 수 있다.

✓ 긍정적인 감정과 의미 있는 활동을 통해 행복을 추구하라. 확실한 느낌의 법칙을 통해 자신이 이미 행복한 상태를 느끼고 믿으면, 인생에서 더 큰 행복과 만족을 찾을 수 있다.

✓ 자신의 목표를 이루고 사회적으로 인정받는 삶을 살아라. 확실한 느낌의 법칙을 통해 자신이 이미 사회적으로 인정받고 있다고 믿으면, 인생에서 더 큰 자존감과 성공을 경험할 수 있다.

✓ 자신의 삶을 통해 긍정적인 영향을 미치고, 지속 가능한 유산을 남겨라. 확실한 느낌의 법칙을 통해 자신이 이미 긍정적인 유산을 남기고 있다고 믿으면, 인생에서 더 큰 의미와 가치를 느낄 수 있다.

THE ONE KEY |원키

KEYMASTER · 키마스터지음

THE ONE KEY | 원 키 |

발행 | 2024년 08월 12일
저자 | KEY MASTER(키마스터)
펴낸이 | 한건희
펴낸곳 | 주식회사 부크크
출판사등록 | 2014.07.15(제2014-16호)
주소 | 서울특별시 금천구 가산디지털1로 119 SK트윈타워 A동 305호
전화 | 1670-8316
이메일 | info@bookk.co.kr

ISBN | 979-11-419-5342-3

www.bookk.co.kr

THE

ONE KEY

|원 키|

KEY MASTER |키 마스터| 지음

BOOKK✎

이 책을 당신에게 바칩니다.

"[원키]가 당신이 원하는 때에,

원하는 방식으로, 원하는 만큼,

당신을 행복한 삶으로 안내하기를."

이것이 당신 만을 생각하며

이글을 쓴 나의 간절한 바램입니다.

CONTENTS

당신의 원키

"확실한 느낌의 법칙"이라는 '절대키'는 수천, 수억 가지의 모양을 하고 있다. 이 키는 당신의 의지와 신념에 따라 그 모양과 색, 디자인이 다르게 드러난다. 어떤 사람에게는 화려한 금빛 키일 수 있고, 또 다른 사람에게는 단순하지만 강력한 은빛 키일 수도 있다. 당신이 키를 어떻게 상상하고 다루느냐에 따라 그 키의 모습은 무한히 변화할 수 있다. 그렇다면 당신의 키는 어떤 모양과 색, 어떤 크기로 표현되는가?

당신이 존재하기에 세상도 존재하고, 신도 존재하며, 인생도 존재한다. 당신의 존재가 곧 세상의 존재 이유이다. 행복과 성공, 모든 것은 당신의 존재로 인해 의미를 갖는다. 만약 당신이 존재하지 않는다면, 세상의 어떤 것도 존재하지 않는다. 당신 없이는 아무것도 있을 수 없다. 당신이 시작이요, 당신이 마침이다. 그것이 당신의 세상이고, 당신의 인생이다.

이 얼마나 놀라운 사실인가?

이 얼마나 신비로운 진리인가?

당신의 키는 바로 당신 안에 있다. 당신이 이 세상에 탄생하는 순간 당신과 함께 탄생했다. 당신의 키는 당신 안에 고이 보관되어 있다. 이 '절대키'는 당신 인생의 모든 보물 상자를 열 수 있는 만능키다. 이 키는 이 세상의 절대주인만 소유할 수 있다. 이 키를 차지하는 사람이 이 세상의 절대주인이 될 수 있다. 이 키는 당신이 찾는 모든 꿈과 목표, 그리고 행복을 현실로 만들 수 있는 힘을 가지고 있기 때문이다. 한마디로, 당신이 원하는 것은 무엇이든 가질 수 있는 절대적인 힘을 가지고 있는 '절대키' 이다.

> "인간의 위대함은 우리가 하는 일에 있지 않고, 우리가 할 수 있는 일에 있다. 나는 내 능력과 확실한 느낌을 통해 세상을 변화시킬 수 있다고 믿는다."_마하트마 간디

> "내가 가진 가장 큰 영웅은 내가 가진 가능성을 발견하고, 그것에 확실한 느낌을 간직하며, 이를 실현하기 위해 노력하는 나 자신입니다."_마하트마 간디

당신 자신이 모든 것의 원인이며, 모든 것의 목적이다. 당신이 시작이고, 당신이 끝이다. 당신이 세상의 진리이며, 이 세상의 빛이다. 당신의 존재는 한계가 없고, 끝도 없이 무한하다. 당신이 원하면 무엇이든 할 수 있고, 어디든 갈 수 있으며, 누구든 만날 수 있다. 당신의 가능성은 무한하고, 당신의 힘은 무궁무진하다.

> "나에게는 꿈이 있습니다. 그것은 모든 인간이 평등하게 대우받는 세상을 만드는 꿈입니다. 이 꿈을 이루기 위해 우리는 우리의 위대함을 믿어야 합니다."_마틴 루터 킹 주니어

> "상상력은 지식보다 중요합니다. 상상력은 모든 것을 포용할 수 있으며, 세상의 진보를 이끌어 나가는 원동력입니다."_알버트 아인슈타인

당신 자신이 곧 키며, 키는 곧 당신이다. 이 키는 당신이 상상할 수 있는 모든 꿈과 목표를 실현할 수 있는 힘을 가지고 있다. 당신이 키를 어떻게 다루느냐에 따라 당신의 인생은 무한히 변화할 수 있다. 당신의 키는 당신의 신념과 의지, 그리고 당신의 확실한 느낌의 법

칙을 통해 더욱 강력해진다.

"성공은 목표를 설정하고, 그 목표를 향해 끊임없이 노력하는 사람에게 찾아온다. 당신의 꿈을 확실하게 믿고, 그 꿈을 현실로 만들기 위해 행동하라."_토니 로빈스

"당신이 상상할 수 있는 모든 것은 현실로 만들 수 있다. 당신의 꿈을 믿고, 그 꿈을 향해 나아가는 과정에서 당신의 힘을 발견하라."_지그 지글러

이 키는 당신이 원하는 모든 것을 이룰 수 있는 힘을 가지고 있다. 당신이 원하는 삶, 당신이 꿈꾸는 모든 것을 이룰 수 있는 힘이 바로 당신 안에 있다. 당신의 키는 당신의 확실한 느낌과 결심, 그리고 끊임없는 노력을 통해 더욱 빛나게 될 것이다. 당신은 이 키를 통해 세상에 나아가고, 모든 보물 상자를 열 수 있다.

"당신의 마음속에 있는 모든 목표를 달성할 수 있는 힘이 바로 당신 안에 있다. 확실한 느낌의 법칙을 통해 그 힘을 발휘하라."_브라이언 트레이

시

"당신이 상상할 수 있는 가장 위대한 삶은 바로 당신의 것이다. 꿈을 꾸고, 그 꿈을 현실로 만들기 위해 끊임없이 노력하라."_레슬리 브라운

당신의 키는 당신의 꿈과 목표를 이루는 데 필요한 모든 힘과 가능성을 가지고 있다. 당신이 원하는 삶을 살고, 당신이 꿈꾸는 모든 것을 이루기 위해 이 키를 사용하라. 당신의 키는 당신의 신념과 의지, 그리고 확실한 느낌의 법칙을 통해 더욱 강력해질 것이다. 당신의 키는 당신의 꿈을 현실로 만들 수 있는 힘을 가지고 있다. 당신의 키는 당신의 내면에 있다. 이 키를 찾고, 이를 통해 인생의 보물 상자를 여는 것은 당신의 신념과 결심, 그리고 끊임없는 노력에 달려 있다. 당신의 키는 당신이 원하는 모든 것을 이룰 수 있는 힘을 가지고 있다.

"나는 눈이 없지만, 내 마음속의 빛을 볼 수 있습니다. 나는 귀가 없지만, 내 영혼의 음악을 들을 수 있습니다. 우리는 자신의 위대함을 발견하고 그것을 믿어야 합니다."_헬렌 켈러

"내가 가진 가장 큰 영웅은 내가 가진 가능성을
발견하고, 그것을 믿으며, 이를 실현하기 위해
력하는 나 자신입니다."_넬슨 만델라

당신은 무한한 능력을 가지고 태어났다. 당신의 내
면에는 거대한 잠재력이 숨겨져 있다. 이 잠재력을 발
견하고, 활용하는 것이 바로 당신의 키다. 당신의 키를
사용하여, 당신의 꿈을 이루고, 세상에 긍정적인 영향
을 미치는 사람으로 살아라. 당신은 위대하고 웅대하
며, 당신의 가능성은 무한하다. 당신은 한계가 없이 태
어났으며, 당신은 온 세상을 품을 수 있는 존재이다.

"성공의 비밀은 강한 열망과 확실한 목표를 갖
는 것이다. 당신의 목표를 명확히 하고, 그 목
표를 달성하기 위해 모든 것을 쏟아 부어라."_
나폴레온 힐

"당신의 삶은 당신이 결정하는 대로 펼쳐질 것
이다. 확실한 느낌의 법칙을 통해 당신의 목표
를 시각화하고, 그 목표를 달성하기 위해 매일

노력하라."_짐 론

당신은 이 위대한 동기부여가들의 말처럼, 자신의 열망과 목표를 믿고, 그 목표를 향해 끊임없이 나아가야 한다. 당신의 키는 당신 안에 있다. 이 키를 사용하여, 당신의 꿈을 실현하고, 세상에 긍정적인 영향을 주는 사람이 되어라. 왜냐하면, 당신이 세상에 들어온 것이 아니라, 세상이 당신으로 인해 시작되었기 때문이다. 이 세상은 당신의 사랑의 울림을 간절히 기다리고 있다. 이 세상을 당신 사랑으로 시작했던 것처럼, 이 세상에 아름다운 당신 생명의 울림을 전하라. 이 세상은 당신의 것이니, 당신 사랑으로 이 세상을 돌보고 가꾸어라. 세상이 당신을 기다린다. 어서 일어나 키를 활용하고 세상을 이롭게 하라. 이 세상은 당신의 것이다.

"자신의 한계를 넘어서려면 먼저 자신의 능력을 믿어야 합니다. 우리는 우리가 생각하는 것보다 더 위대하고 강력한 존재입니다."_엘리노어 루즈벨트

"할 수 있다고 생각하든 없다고 생각하든, 당신의 생각이 옳습니다. 우리의 위대함은 우리의

믿음과 생각에 달려 있습니다."_헨리 포드

당신의 키는 당신의 신념과 의지에 따라 무한한 힘을 발휘할 수 있다. 당신이 꿈꾸는 모든 것을 이룰 수 있는 키는 바로 당신 안에 있다. 이 키를 찾고, 활용하는 것은 당신의 몫이다. 당신의 키를 통해 인생의 모든 보물 상자를 열고, 당신이 원하는 모든 것을 이루라. 당신이 세상의 주인이기 때문이다. 두려워도 그 두려움을 품고 일어나라. 그리고 원키를 잡은 당신 손을 내밀어라. 당신이 원하는 수많은 일들이 펼쳐지는 경험을 하라.

"나는 실패하지 않았습니다. 나는 단지 잘못된 방법을 10,000번 발견했을 뿐입니다. 우리의 위대함은 끊임없는 노력과 인내에 달려 있습니다."_토마스 에디슨

"작은 일에 큰 사랑을 담아 하세요. 우리의 위대함은 우리가 하는 작은 일들에 달려 있습니다."_마더 테레사

당신은 위대하고 웅대하며, 무한한 가능성을 가지고

태어났다. 당신의 키는 당신의 내면 깊숙한 곳에 숨겨져 있다. 이 키를 찾고, 이를 통해 당신의 인생을 원하는 방향으로 이끌어 가라. 당신의 키는 당신의 꿈을 현실로 만들 수 있는 힘을 가지고 있다. 당신의 키를 활용하여 경험하는 모든 것을 판단 없이 모두 경험하라. 왜냐하면, 당신이 결정하지 않는 한, 이 세상에 나쁜 경험도 좋은 경험도 없이 모든 것이 당신의 키로 만든 소중한 경험 그 자체이기 때문이다. 당신 인생을 누려라. 즐겨라. 즐거워하며 이 세상의 닫혀 있는 수많은 문들을 열고, 수많은 상자를 열어 체험하라. 왜냐하면, 당신은 이 세상에서 어렵게 모신 VVIP 손님이기 때문이다.

"성공은 최종적인 것이 아닙니다. 실패는 치명적인 것이 아닙니다. 중요한 것은 계속해 나가는 용기입니다. 우리의 위대함은 끊임없이 도전하는 데 있습니다."_윈스턴 처칠

"우리는 불가능한 일에 도전하고, 그것을 이루어 내는 능력을 가지고 있습니다. 우리의 위대함은 우리의 비전과 용기에서 비롯됩니다."_존

F. 케네디

당신의 키는 당신의 신념과 의지, 그리고 확실한 느낌의 법칙을 통해 더욱 강력해질 것이다. 당신이 이 키를 사용하여, 당신의 삶을 변화시키고, 더 나은 세상을 만들어 나가라. 당신의 키는 당신의 꿈과 목표를 실현할 수 있는 힘을 가지고 있다. 즐거워하라. 누려라. 기뻐하라. 행복해하고, 사랑하라. 그리고 감사하라. 그 울림을 간직하며 당신의 키를 활용하면, 이 세상에서 사는 동안 당신이 얻지 못하는 것은 없을 것이다. 이 세상을 사는 동안 당신이 누리지 못하는 것은 없을 것이다. 이 세상을 사는 동안 경험하지 못하는 것은 없을 것이다.

"여러분은 세상을 바꿀 수 있습니다. 그것을 믿으세요. 당신의 위대함은 당신의 신념과 열정에서 시작됩니다."_ 스티브 잡스

"당신이 어디에서 시작하든, 당신의 꿈과 믿음이 당신을 어디로 데려갈지는 누구도 예측할 수 없습니다. 우리의 위대함은 우리 자신의 믿음에 달려 있습니다."_에이브러햄 링컨

당신의 키는 당신의 내면에 있다. 이 키를 찾고, 이를 통해 인생의 보물 상자를 여는 것은 당신의 신념과 결심, 그리고 끊임없는 노력에 달려 있다. 당신의 키는 당신이 원하는 모든 것을 이룰 수 있는 힘을 가지고 있다. 그 힘의 원천은 바로 당신 자신이다. 당신이 그것에 대해 확실한 느낌을 가지고 있기 때문이다. 당신이 바로 키마스터다. 당신이 바로 절대키(The One Key)의 주인이다. 두려워도 괜찮다. 두려움과 함께 일어나라. 당신이 지금 당장 해야 할 일은 그저 키를 잡은 손만 들면 되는 것이다. 그것이면 충분하다. 첫발을 내딛는 것이다.

> "자신을 믿으세요. 당신은 위대한 일을 해낼 수 있습니다. 당신의 위대함은 당신의 자기 신뢰에서 비롯됩니다."_오프라 윈프리

> "나는 인간의 위대함을 믿습니다. 인간은 자신의 운명을 스스로 개척할 수 있는 능력을 가지고 있습니다."_프리드리히 니체

당신의 키는 당신의 꿈과 목표를 실현할 수 있는 힘을 가지고 있다. 당신이 이 키를 사용하여 세상에 나아가고, 모든 보물 상자를 여는 것은 당신의 신념과 의지에 달려 있다. 당신의 키는 당신의 꿈을 현실로 만들 수 있는 힘을 가지고 있다. 당신이 이 세상을 위해 도구가 되어 무엇을 해야 하는 것이 아니다. 당신이 움직이기 시작하면, 오히려 세상이 마치 그 순간만을 간절히 기다렸다는 듯이, 이 세상이 도구가 되어 당신을 위해 모든 것을 할 것이다. 왜냐하면, 이 세상에 당신이 존재하지 않으면, 이 세상이 존재할 수 없기 때문이다. 당신이 이 세상의 전부이다. 당신이 곧 이 세상이다. 그러니 당신의 키로 이 세상의 닫혀 있는 모든 것을 열어주라. 잠겨 있는 모든 것을 열어주라. 그리고 세상에 당신의 생명을 불어넣어 주라. 왜냐하면, 이 세상은 당신이 창조해 낸 당신의 세상이니까.

"당신이 가진 가장 위대한 자산은 당신의 믿음입니다. 믿음은 모든 것을 가능하게 만듭니다."_랄프 발도 에머슨

"우리는 우리 자신을 믿어야 합니다. 우리의 가

능성은 무한하며, 우리의 미래는 우리가 만드
는 것입니다."_버락 오바마

 "나는 내 운명을 내 손으로 개척할 것입니다.
우리의 위대함은 우리의 의지와 노력에 달려
있습니다."_루이자 메이 알콧

세상의 주인이여!
절대키의 주인이여!
지금 당장 일어나 세상을 향해 나아가시오!

당신은 이제 무엇부터 시작하겠는가?

ONE KEY POINT

✓ 당신은 확실한 느낌의 법칙을 통해 모든 꿈과
목표를 실현할 수 있는 절대키를 소유하고 있다.
당신의 키는 당신의 신념과 의지로 더욱
강력해지며, 인생의 모든 보물 상자를 열 수 있다.
당신은 그 어떤 한계도 극복할 수 있는 능력을
가지고 있다.

✓ 당신은 인생의 주인공으로서, 확실한 느낌의
법칙을 통해 자신의 인생을 원하는 대로 설계할
수 있다. 당신의 존재는 모든 것의 시작과 끝이며,
세상은 당신의 키로 인해 의미를 갖는다. 당신은
이 세상의 중심이며, 당신의 힘과 가능성은
무한하다.

✓ 당신은 확실한 느낌의 법칙을 통해 이미 꿈과
목표를 이룬 모습을 상상하고, 그 느낌을 굳게
믿어라. 이 확신을 바탕으로 당신의 키를
사용하면, 모든 가능성이 현실이 된다. 당신은

이미 성공의 길을 걷고 있으며, 그 모든 성취는 당신의 것이다.

✓ 당신은 확실한 느낌의 법칙을 통해 세상에 긍정적인 영향을 미치고, 지속 가능한 유산을 남길 수 있다. 당신의 키를 활용하여, 세상을 변화시키고, 인생에서 더 큰 의미와 가치를 발견해라. 당신은 세상을 밝히는 빛이며, 당신의 노력과 헌신은 영원히 기억될 것이다.

"[원키]가 당신이 원하는 때에,

원하는 방식으로,

원하는 만큼,

당신을 행복한 삶으로 안내하기를."

이것이 당신 만을 생각하며

이글을 쓴 나의 간절한 바램입니다.